Hetty van Aar werd in 1948 in Twente geboren, in Almelo om precies te zijn. Toen ze drie jaar was, verhuisde ze naar Noord-Brabant. En daar woont ze nu nog steeds, hoewel ze tussentijds een paar jaar in het Midden-Oosten heeft gewoond. Maar Twente heeft nog altijd een speciale plaats in haar hart, net als de zee, kleine Griekse eilandjes en muziek. Hetty van Aar is getrouwd met een man die lekker kan koken, en heeft zes kinderen.

Zodra ze kon lezen, las ze alles wat ze te pakken kon krijgen. Op de middelbare school begon ze met het schrijven van gedichten en schreef ze hele dagboeken vol, die ze later allemaal weer verscheurde. Na de Opleiding voor Kleuterleidsters ging ze verhalen schrijven voor haar eigen klas, tot ze stopte met lesgeven omdat ze zelf kinderen kreeg.

Over schrijven zegt ze: 'Vroeger dacht ik altijd dat verhalen pas echt spannend werden als je er heel veel politie en brandweer in voor liet komen. Maar tegenwoordig vind ik mijn inspiratie heel dichtbij: in iets wat ik zie, hoor of lees, in mijn eigen gezin of in mensen die ik ontmoet. Voeg daarbij je eigen fantasie en het stoeien met taal, en je krijgt een verhaal. Ik ben altijd op zoek naar de juiste woorden om een bepaalde situatie te kunnen beschrijven, zelfs als ik in de meest hachelijke toestand verkeer. Daarom is het zo wonderlijk dat ik juist volledig kan opgaan in muziek, omdat muziek uitdrukking geeft aan je diepste gevoelens zonder er ook maar een enkel woord voor nodig te hebben.'

Hetty van Aar

Verborgen agenda

Uitgeverij Ploegsma Amsterdam

STICHTING NEDERLANDSE
KINDERJURY
2007

Kijk ook op www.ploegsma.nl

AVI 8

ISBN 90 216 1940 7 / NUR 283
© Tekst: Hetty van Aar 2006
© Omslagillustratie: Roelof van der Schans 2006
Omslagontwerp: Steef Liefting
© Deze uitgave: Uitgeverij Ploegsma bv, Amsterdam 2006

I

Max schrok wakker. Stommelde daar iemand door het huis? Hij luisterde. Nee, het was niks. Alles was stil. Opgelucht haalde hij adem. Het was nog donker en de verlichte wijzerplaat van zijn wekker wees half vijf aan.

Sinds zijn vader drie dagen geleden zomaar opeens was verdwenen, werd hij op de gekste tijden wakker. Klaarwakker. Hij bleef liggen met zijn ogen dicht, maar zijn hoofd was onrustig. Hij sloeg zijn dekbed terug en liep op zijn tenen naar het raam. Daar schoof hij wat kleren van zijn stoel en ging zitten. De stenen vensterbank voelde als een ijsblok aan zijn slaapwarme armen.

Met zijn kin op zijn handen staarde hij door een kier van de gordijnen naar buiten. Hij zag de voortjagende wolken, en in het water op de platte daken van de schuurtjes trilde het maanlicht. Even dacht hij het geluid van een auto te horen, in de straat achter de schuurtjes. Hij hield zijn hoofd schuin, maar hoorde alleen de wind langs het raam fluiten.

Het werd winter. De veel te grote berk in het tuintje van de buren stond kaal te wezen in de kou. Max rilde en stond op. In bed was het warmer.

Opeens klonk er een oorverdovende knal. Een fel, wit licht maakte het klaarlichte dag. Heel even maar. Toen hield alles op. Max greep zich vast aan de stoel, doof en blind door zo'n overmacht aan licht en lawaai. Zijn opengesperde ogen zagen niks, hij hoorde ook niks. Hij voelde alleen dat hij werd beetgepakt en op de stoel gedrukt. Er gleed een zak over zijn hoofd. Zijn handen werden achter de rugleuning met plastic bandjes vastgemaakt. Hij wilde roepen, moord en brand schreeuwen om zijn moeder te waarschuwen, en Tinka, zijn zusje. Zijn keel zat dichtgeknepen. Hij luisterde roerloos, maar hoorde alleen het waanzinnige bonken van zijn hart. Wie was er binnen? Was het er één, of…

Hij slikte en bleef doodstil zitten, tot hij geritsel hoorde. Zijn doofheid was voorbij, hij kon ook weer wat zien. Hij draaide zijn hoofd naar de kant waar het geluid vandaan kwam en schrok. Een vage gestalte doorzocht zijn kleerkast.

Max knipperde met zijn ogen. Hij zag niet helder meer, alles was wazig. Of zou dat door die zak komen? Hij kon erdoorheen kijken, maar het was net of er een dichte mist in zijn kamer hing. Wat moest hij doen? Met zijn handen op zijn rug kon hij alleen schoppen. Schoppen en schreeuwen, meer niet. Maar de gestalte die door zijn kamer bewoog leek het op zijn spullen gemunt te hebben, niet op hem. Hij kon zich maar beter stilhouden.

Zwijgend keek hij toe. De vage figuur bewoog langs zijn kast, bukte bij zijn bed en gleed langs zijn boekenkast. Zelfs de doosjes met zijn cd's werden opengemaakt, Max hoorde ze dichtklikken. In een razend tempo werd zijn hele kamer doorzocht. Plotseling kwam de schim op hem af. Max hield zijn adem in en kneep zijn ogen stijf dicht. De bandjes om zijn polsen werden doorgeknipt. Hij hoorde zijn deur dichtgaan. Toen hij keek was de indringer verdwenen.

Max speurde zijn kamer rond, zijn handen nog steeds op zijn rug. Langzaam kwam hij in beweging, hij tilde zijn armen op en greep naar de zak op zijn hoofd. Opeens kreeg hij haast, hij rukte de zak weg, sprong van de stoel en stoof naar de deur.

Vlug naar zijn moeders kamer. In het donker zag hij haar lege bed. Hij draaide zich om en liep met haastige stappen naar Tinka. Op de drempel zag hij zijn moeder staan, Tinka stijf tegen zich aangedrukt. Ze stak een arm naar hem uit.

Met zijn drieën stonden ze dicht tegen elkaar, de armen om elkaar heen. Max voelde hoe zijn moeder trilde. Hij wreef met zijn hand over haar arm heen en weer, alsof hij haar warm wilde wrijven, zodat het beven zou stoppen. Hij haalde diep adem en zocht naar woorden, maar ze legde haar vinger op zijn lippen en knikte met bezorgde ogen naar het trapgat. Max schrok. Zouden ze nog beneden zijn? Kon hij dan niet beter de politie bellen? Zijn vader zou dat nooit doen, die moest niks hebben van de politie, maar papa was er niet.

Op dat moment ging de deurbel, hard en snerpend. Max schrok zich lam. Ze schrokken alle drie en pakten elkaar nog steviger vast. Alsof ze een klein, veilig eilandje waren in de grote, boze wereld. Doodstil bleven ze staan.

Opnieuw snerpte de bel.

Max verstijfde. Hij was geen held, nooit geweest ook. Ja, vroeger misschien, toen hij vanaf zijn hobbelpaard de wereld overzag. Maar na alles wat er gebeurd was wist hij het heel zeker: hij was geen held. Erger nog, hij was een loser. Aan hem had je niks.

Bij de voordeur klonk vaag gestommel. Daarna werd er op de deur geklopt. Max keek op. Hij voelde mama's arm van zijn schouder glijden. Wilde ze naar beneden gaan? Nee, dat mocht niet. Ze kon hen toch niet alleen laten? Als er iets met háár gebeurde, dan hadden ze niemand meer. Nu liet ze ook Tinka los, maar die greep mama's arm en klampte zich aan haar vast.

Max aarzelde. Zou het hem lukken om voor deze ene keer

geen lafaard te zijn? Iemand moest naar beneden, want degene die voor de deur stond was blijkbaar niet van plan weg te gaan. Hij liet mama en Tinka los. In het donker liep hij naar de trap, zo stil als hij kon. Hij zette zijn voet op de bovenste tree. Toen klonk er buiten een vrouwenstem: 'Hallo! Politie hier!'

Politie? Die was er toch nooit als je ze nodig had? Maar nu kwam ze als geroepen. Max haastte zich de trap af, naar de voordeur. Die zat niet eens dicht! Met één vinger haalde hij de deur een stukje naar zich toe.

'Goedemorgen, politie,' klonk het opnieuw aan de andere kant. 'Mogen wij even binnenkomen?'

Alles had Max verwacht, behalve de politie. Hij slaakte een zucht van opluchting en knipte het licht aan. Met een zwaai trok hij de deur open. Bij het slot was het hout versplinterd, zag hij nu. Misschien had iemand in de buurt de klap gehoord en de politie gebeld.

Max wees naar de openstaande kamerdeur en liet de politie voorgaan. Je wist maar nooit wie er nog binnen zat. Maar in de kamer was niemand.

Waar bleef mama nou? Max liep de gang in. Ze kwam de trap af, met Tinka vlak achter zich. Hij liep weer naar de kamer. Zou hij vast beginnen met zijn verhaal? Nee, hij wachtte op zijn moeder. En als ze een signalement vroegen? Hij had niks gezien. Geen haarkleur, niks. Daar hadden ze wat aan. Maar hij kon ze wel de zak laten zien, die lag nog op zijn kamer. Misschien stonden daar vingerafdrukken op. Zou hij nog even naar boven hollen om de zak te halen? Nee, want mama en Tinka kwamen er eindelijk aan.

Ze kropen dicht naast elkaar op de bank, nog trillend van de schok.

8

De agenten, een man en een vrouw, gingen op de stoelen links en rechts van de bank zitten. Ze hadden zich netjes voorgesteld, maar Max had hun namen maar half gehoord. Hij wist dat het echt was, dat hij hier met de politie in de kamer zat. Hij zag de handboeien en de holster met het pistool erin. Hij hoorde hun portofoons ruisen, onderbroken door piepjes en flarden van zinnen. Maar tegelijkertijd had hij het gevoel dat het niet waar kon zijn, dat het een enge film was waarin hijzelf per ongeluk een rol speelde.

Als hij dit tegen Joris vertelde, en tegen Maryse natuurlijk… De hele brugklas zou tegen hem opkijken.

De agente schakelde haar portofoon uit, sloeg haar armen over elkaar en leunde achterover.

Max keek zijn moeder aan. Nou moest ze zeggen dat er ingebroken was. Maar ze zweeg. In de schaduw van de schemerlamp leek de blauwe plek rond haar linkeroog nog donkerder. Opnieuw zag hij de beelden voor zich. Nee, niet weer. Hij schudde zijn hoofd om zo de akelige herinnering kwijt te raken.

Waarom zei mama nou niks? Iemand moest toch vertellen wat er was gebeurd?

Max slikte. 'Er is ingebroken, vlak voor jullie kwamen. Ze hebben me vastgebonden aan mijn stoel en mijn kamer doorzocht en…' Hij struikelde over zijn woorden in de haast alles te vertellen.

De agenten schudden hun hoofd. Wat? Geloofden ze hem niet? Hij trok aan mama's arm. 'Toe nou, mam, vertel dan dat het echt waar is.'

'Er is niet ingebroken,' zei de agente met rustige stem.

Max schoof naar het puntje van de bank. Dacht ze soms dat hij een potje zat te liegen? Dat hij zoiets ongelooflijks zelf verzon? Maar de agente praatte verder, met diezelfde kalme stem.

'Dat was het AT.'

Max kneep zijn wenkbrauwen samen. Het AT? Wat had dat nou weer te betekenen?

De agente zag hem kijken. 'Sorry, het Arrestatie Team. Ze hebben huiszoeking gedaan op aanwijzingen van het OT, het Observatie Team.'

Max geloofde zijn oren niet. AT? OT? Het leek wel geheimtaal, alsof niemand mocht weten wat er was. Hij voelde mama's spieren verstrakken en liet haar arm los. 'Huiszoeking? Wat zochten ze dan?' vroeg hij.

'Bewijsmateriaal.' De agente aarzelde en keek naar haar collega. Die nam het van haar over. 'Volgens het OT was jouw vader hier in huis, vlak voor de inval.'

Zie je wel, dan had hij toch gestommel gehoord. Maar wat kwam papa dan doen? Dat hij zo plotseling was verdwenen, zonder zelfs maar afscheid te nemen, was al vreemd. Maar dat hij midden in de nacht als een dief zijn eigen huis in sloop, daar snapte Max niks van. Daarvoor kwam de politie vast niet. Je mocht je eigen huis toch nog wel in? Arrestatie Team? Observatie Team? Dat hoorde je toch alleen op teevee? Opeens had hij zo veel vragen. 'En die knal dan? En dat licht?'

De agent schoof zijn pet wat naar achteren. Er zat een gleuf in zijn haar, precies waar de pet gezeten had. 'Door die licht- en geluidseffecten zijn mensen heel even volkomen overrompeld, net lang genoeg om opgepakt te worden.'

Max trok een diepe rimpel boven zijn neus. 'Opgepakt? Maar wat heeft dat dan met mijn vader te maken?' Hij greep mama's arm. 'Mam?'

Ze pakte zijn hand vast en keek hem aan. Hij zag de angst

in haar ogen, maar ze zei nog steeds geen woord.

De agenten trokken een gezicht alsof ze er alles van af wisten, Max zag het heus wel, maar ze gaven geen antwoord. Ten slotte vroeg de agente aan zijn moeder: 'Mevrouw, weet u waar uw man is?'

Zijn moeder schudde langzaam haar hoofd. 'Drie dagen geleden is hij opeens vertrokken.'

'Maar een uur geleden was hij nog hier in huis,' hield de agente vol.

Zijn moeder schudde weer, maar nu leek het alsof er een rilling door haar heen trok. 'Daar weet ik echt niks van.'

Opeens sprong Tinka op van de bank. 'Misschien heeft hij zich boven verstopt.' Het klonk zo hoopvol, hoorde Max. Hij wist wel beter. Als ze elk cd-doosje binnenstebuiten keerden, zagen ze zijn vader echt niet over het hoofd. Maar Tinka was pas zes, die snapte zoiets nog niet. En, om eerlijk te zijn, hij begreep er zelf ook steeds minder van. Eerst dacht hij nog dat het om een inbraak ging, toen bleek het een huiszoeking. En nu drong het langzaam maar zeker tot zijn verdoofde hersens door dat ze zijn vader zochten. Dat die hele inval alleen om hem begonnen was. En waarom? Wat had zijn vader gedaan? Zo'n arrestatieteam viel 's nachts niet binnen omdat je door rood licht gereden was. Echt niet. Dan moest er meer aan de hand zijn, véél meer. Maar wat? En wat stond hun verder nog te wachten? Alsof het allemaal al niet erg genoeg was geweest. En nu sloop zijn vader 's nachts ook nog stiekem in huis rond. Hij durfde nooit meer te gaan slapen. Nóóit meer, alleen het idee al. Hij werd er akelig van, wreef met zijn hand over zijn voorhoofd en zakte weg in de kussens.

De agente kwam onmiddellijk naar hem toe. 'Hela, gaat

het wel goed met jou? Wil je een slokje water?'

Hij schudde langzaam zijn hoofd. Nee! Nee, nee!

Zijn moeder stond op en haalde een glas water. Hij maakte zijn lippen nat, voorzichtig. Toen dronk hij met gulzige slokken het glas leeg. Het werd weer helder in zijn hoofd. Toch vroeg hij het nog één keer, voor alle zekerheid. Hij zei het eigenlijk meer hardop tegen zichzelf. 'Dat Arrestatie Team kwam dus voor mijn vader.'

Aan de andere kant van mama begon Tinka onbedaarlijk te snikken.

De agente knikte kort. 'En geld.'

Geld! Ze hadden niet eens geld om een kerstboom te kopen, en soms was er niet eens fatsoenlijk te eten. Dan kregen ze aardappelsoep met brood. En nu zocht de politie geld? In hún huis? Dat was toch om je te bescheuren.

Max begon te lachen. Hij lachte tot de tranen over zijn wangen rolden, tot hij met gierende uithalen snikte. Net als Tinka.

Zie je wel, zijn vader had gelijk. Hij was een loser. Hij haalde zijn neus op en wreef in zijn ogen. Het moest uit zijn met dat gejank. Zo had mama niks aan hem. Hij haalde diep adem en keek haar aan. Weer zag hij die vreselijke blauwe plek. Zijn gedachten gingen automatisch terug naar vorige week zaterdag, deze keer kon hij ze niet meer tegenhouden.

Hij zag zichzelf weer zitten, met één been op de vensterbank, en met zijn rug tegen het raamkozijn. Het had die dag geregend, dat wist hij nog goed, want langs het kamerraam stroomden regendruppels als tranen naar beneden. Opeens was er een witglanzende limousine de hoek omgekomen, hun straatje in. Het was zo'n slee waar beroemde popsterren in

rondgereden werden. Max had zijn gezicht tegen de ruit gedrukt om niks te missen. De limousine deinde zacht over de
verkeersdrempel en stopte voor hun huis. Zijn vader kroop
achter het stuur vandaan en zwaaide naar hem. Hij was te
verbaasd geweest om terug te zwaaien. Wat een slee! Misschien mocht hij wel mee, een rondje rijden. Hoe kwam papa eigenlijk aan zo'n dure auto?

Dat vroeg mama zich ook hardop af, toen papa de kamer
binnenkwam en met opgestoken hand de autosleutels uitda-
gend liet rinkelen. Max hield zijn adem in. Zijn vader had
een hekel aan vragen. En al helemaal aan mama's vragen. Je
kon aan haar gezicht wel zien dat ze niet blij was met die
mooie limousine. Ze had het strijkijzer neergezet en hield
haar handen geschrokken voor haar mond. Toch vroeg ze
het opnieuw. 'Hoe kom jij aan die dure auto? Toch zeker
niet gekocht?'

Zijn vader keek haar spottend aan. 'En waarom niet?'

Mama schrok zich wezenloos. 'Gekocht? We hebben toch
helemaal geen geld? Hoe kan dat dan? Het is toch wel eerlijk, Jaap?' Ze keek bezorgd. 'Jaap?'

Zijn vader liep naar de strijkplank. 'Je doet net alsof ik achterlijk ben. Kijk naar jezelf, mens!' Toen haalde hij uit, razendsnel. Max kneep zijn ogen dicht. Te laat. Hij zag nog
net dat zijn moeder een enorme dreun tegen haar gezicht
kreeg. Als bevroren stond hij daar, de lafaard. Hij kon geen
geluid meer uitbrengen, zijn keel werd dichtgeknepen.

Zijn vader strekte zijn vingers een paar keer. 'Dat zal je leren. Bemoei je met je eigen zaken. Begrepen?' Toen draaide hij zich om naar Max. 'Kom op, joh, we gaan een ritje
maken door de stad. Dan zien ze daar ook eens wat.'

Max stond nog steeds doodstil. Hij wilde niet met zijn vader mee, zo hoefde het niet voor hem. Zijn maag keerde om, alleen al bij de gedachte. Hij keek naar mama, achter de strijkplank, met haar handen voor haar gezicht. Hij kon haar toch zo niet achterlaten? Hij wilde niet mee. Hij ging niet mee. Echt niet.

Zijn vader had de klink al vast. 'Nou, komt er nog wat van? Je lijkt wel een standbeeld, schiet toch eens op. Zo kom je nooit ergens.' Weer liet hij de autosleutels rinkelen.

Langzaam liep Max naar de deur. Hij durfde mama niet aan te kijken. Maar hij durfde ook geen nee te zeggen tegen zijn vader. Een loser, dat was hij.

Hij schrok op uit zijn gedachten toen hij zijn naam hoorde. Zijn moeder had hem blijkbaar iets gevraagd en keek hem aan. 'Wil je dat doen, Max?'

'Wat?' Hij had geen idee waar het over ging.

'Tinka valt om van de slaap, wil jij met haar naar boven gaan? Ze durft niet alleen, en wij willen nog even praten.'

Hij stond op en nam Tinka mee.

'Ze mag wel in het grote bed,' riep zijn moeder hem na.

Hij knikte. Tinka kroop op mama's plekje, dat was nog een beetje warm. Hij ging naast haar op het bed zitten. Ze viel algauw in slaap, onrustig, ze bewoog telkens. Hij bleef nog maar even naast haar zitten, want hij had mama heus wel begrepen. Ze gingen iets bespreken wat niet voor kinderoren was bestemd. Misschien zou híj het wel mogen horen, maar Tinka niet. Hij legde zijn hoofd op het kussen, papa's kussen, zijn geurtje zat er nog aan. Dat lekkere luchtje uit die mooie, dure fles.

Waarom zou papa gezocht worden? Zou het met die limousine te maken hebben? Ze konden zo'n auto toch niet betalen? Of zijn vader misschien wel? En hoe was hij dan aan zo veel geld gekomen? Vast niet met werken. Of kreeg een portier bij een bar zo veel fooi dat hij daar rijk van werd? Dat geloofde Max zelf niet. Er was vast meer aan de hand. Maar wat? In ieder geval niets om over op te scheppen tegen Joris of Maryse. Nee, hij kon maar beter zijn mond houden, tegen Joris, maar zeker tegen Maryse.

Ze had hem één keer gezoend. Nou ja, gezoend... Heel even had hij haar lippen op zijn wang gevoeld. Het tintelde, als priklimonade in je neus. Dat was toen hij met zijn telefoon een fotootje van haar gemaakt had. Ze vroeg erom, uit zichzelf zou hij zoiets niet durven.

Zijn vingers gleden langs zijn wang, alsof het zojuist gebeurd was. Hij dacht aan Maryse. Was het nu aan tussen hen? Hij wist het niet zeker.

Max keek op de wekker. Zeven uur. Dan stond hij meestal op. Maar vandaag was het zaterdag, hij hoefde niet naar school. Dat kwam goed uit, nou hoefde hij ook niks uit te leggen.

Beneden in de gang klonken stemmen. Gingen de agenten weg? Hij hield zijn adem in en probeerde iets op te vangen, maar dat lukte niet. Muisstil gleed hij uit bed en luisterde boven aan de trap. Ze gingen het slot maken! Dat mocht ook wel, want ze hadden het zelf kapotgemaakt.

Gelukkig, dan kon de voordeur tenminste weer dicht. Dat voelde wat veiliger.

Veiliger? Na alles wat er was gebeurd, voelde hij zich thuis niet meer veilig. Zijn moeder was er ook niet helemaal gerust op, hij hoorde het aan haar stem.

'We kunnen ook een ander slot op de deur zetten,' bood de agent aan.

Zijn moeder klonk zenuwachtig. 'Een ander slot?'

Max hield zijn adem in. Dat zou ze toch niet doen? Stel je voor dat papa erachter kwam dat zijn sleutel niet meer op de voordeur paste. Nou, dan brak de hel los. Hij moest er niet aan denken.

'Nee,' zei zijn moeder, 'dit slot is wel goed.'

Max haalde opgelucht adem. Toen de agenten vertrokken waren, glipte hij naar beneden. Zijn moeder zette net de ketel op het vuur. 'Wil je ook een kop thee?' vroeg ze, alsof er niets gebeurd was.

Sprakeloos keek hij haar aan. Hij probeerde zijn stem zo gewoon mogelijk te laten klinken, toen hij vroeg: 'Zeiden ze nog iets?'

Mama staarde naar de tegeltjes alsof ze niets gehoord had, haar armen slap langs haar lijf. Langzaam draaide ze zich om naar hem, haar handen pakten zijn gezicht vast. 'We moeten flink zijn,' zei ze zacht, 'heel flink.'

Hij schrok ervan. Was het zo erg wat zijn vader gedaan had? Hij kon het vragen, maar als het te erg was, zou ze het vast niet zeggen. Toch vroeg hij het. 'Weet je wat er met papa is? Is het erg?'

'Het is helemaal fout,' zei mama. 'Het is gevaarlijk en veel erger dan ik ooit had kunnen denken.' Ze sloeg haar armen om hem heen. Hij voelde zijn wangen nat worden, van haar tranen en van de zijne. Ze gaven troostende klopjes op elkaars schouder, en hij merkte voor het eerst dat hij groter was dan mama. Ietsje groter, maar toch... Toen floot de ketel.

Ze lieten elkaar los. Max wreef door zijn ogen en schoot in de lach. 'Mooie flinkerds zijn wij!'

'We leren het wel!' zei mama. 'We moeten, er zit niks anders op.' Ze schonk twee mokken thee in. 'Zeg nog maar niks tegen Tinka.'

'Natuurlijk niet.' Hij gaapte, maar zin om naar bed te gaan had hij niet.

2

Hij was op de bank in slaap gesukkeld, want hij schrok wakker toen de klok aan de muur begon te slaan. Met zijn ogen dicht telde hij de slagen. Het waren er acht. Hij bleef luisteren. Boven spetterde het water in de douche. Hij trok het weggeschoven kussen wat dichter naar zich toe en probeerde verder te slapen. Het lukte niet. Zijn ogen gleden langs het vloerkleed met de kamelen naar de fotoalbums in de boekenkast.

Hij stond op, pakte het dikke, blauwe album en kroop terug op de bank. Voorzichtig sloeg hij het album open en keek naar zijn babyfoto's. Dat kleine, witte bundeltje in mama's arm was hij, maar dat boeide hem niet. Hij keek naar papa, op de rand van het bed, met zijn armen om hen heen. Alsof hij hen voor altijd en eeuwig wilde beschermen tegen alles wat slecht was.

Het doorzichtige vel ritselde toen hij verder bladerde. Kijk, hier hield papa hem hoog in de lucht, en daar zat hij boven op papa's schouders. Je kon zien dat ze daar allebei plezier in hadden. Wat leek papa jong, en zo vrolijk. Zelfs zijn haar zat grappig zonder gel, veel minder streng. En wat kon hij lachen, moest je hier zien.

Max boog zich dieper over het album. Hij keek naar de foto van zijn eerste verjaardag. Hij zat in zijn kinderstoel achter een grote slagroomtaart en graaide met allebei zijn handjes in de slagroomtorentjes. Achter hem stonden papa en mama, hun lachende gezichten dicht bij elkaar. Mama hield de taart met een schuin oog in de gaten, maar papa schaterde van het lachen. Je kon zelfs het spleetje tussen zijn voortanden zien.

Max voelde met zijn tong langs zijn tanden, zo'n spleetje had hij ook. Zijn ogen gleden langs de foto's. Mama en hij samen bij papa op schoot. Wat keken ze verliefd naar elkaar. Ze waren dus ooit verliefd geweest. Vroeger, lang geleden. Verliefd en gelukkig. Gek, dat hij zich daar niks meer van herinnerde. Hij was erbij, maar wist er niks meer van.

Hij bladerde verder. Kijk, hier leerde mama hem fietsen. En op die foto kreeg hij zijn zwemdiploma, mama was er ook bij. Ach, hier hield hij voor het eerst Tinka vast, toen ze pasgeboren was. En daar zat hij met opa Trom achter het drumstel. Dat was pas echt een leuke foto. En de volgende had hij zelf gemaakt. Opa Trom met de koekenpan. Max wist het nog goed. Opa had juist een pannenkoek omhoog gegooid. Max zou zweren dat de pannenkoek er helemaal op stond toen hij knipte. Raar, hoor, want rechts boven op de foto zag je nog net een donker vlekje. Dat moest een stukje van de vliegende pannenkoek zijn.

Bladzijden vol foto's, maar papa stond bijna nergens meer op.

Max liet het album op zijn knieën zakken toen zijn moeder binnenkwam. Met een handdoek om haar hoofd geknoopt ging ze naast hem zitten. Max aarzelde. Hij klapte het album dicht en begon opnieuw van voren af aan, toen alles nog zo mooi leek.

'Kijk,' wees hij, 'hier waren jullie nog verliefd.'

Mama knikte, ze zei geen woord. Alleen de bladen ritselden, terwijl ze samen naar de foto's keken. De vrolijke foto's. Toen die voorbij waren, klapte Max het album opnieuw dicht. 'Vanaf hier zijn er bijna geen foto's van papa meer.'

Mama knikte bedachtzaam. 'Dat klopt wel.' Toen zweeg ze.

Max keek haar aan. Was dat alles? Hij wilde wat vragen, maar opeens begon ze te praten.

'In het begin deden we heel veel samen. Maar na een poos, jullie waren nog klein, veranderde dat. Papa was steeds vaker weg, hij wilde meer tijd voor zichzelf. En ook meer geld.'

'En dat vond jij goed?'

Mama haalde haar schouders op. 'Ach, weet je, papa was enig kind. Oma zei altijd: hij is alles wat ik heb. En ze gaf hem dan ook alles wat hij wilde. Dus in het begin dacht ik: hij is gewoon een beetje te veel verwend.' Mama zuchtte. 'Maar papa is ontevreden, hij heeft nooit genoeg. En dat zal altijd wel zo blijven.'

Max streek zacht met zijn vingers langs de rand van het album. Als hij later ging trouwen, áls hij tenminste ooit zou trouwen, dan keek hij wel uit. Dan trouwde hij echt niet met een meisje dat verwend was, of ontevreden.

Hij stond op om het album in de kast te zetten. Er viel iets uit. Hij bukte en raapte het op. Het was een pasfoto van papa. Even twijfelde hij, toen stopte hij de foto in het borstzakje van zijn pyjama. Hij zette het album weg en liep terug naar de bank.

Mama had intussen haar handdoek losgemaakt. Met twee handen woelde ze door haar haren, tot ze een hoofd vol plukjes had. Plukjes die vrolijk naar alle kanten piekten. Zo simpel ging dat dus. Eigenlijk moest hij dat ook eens proberen. Misschien had hij ook wel plukhaar, dan leek hij toch een beetje op mama.

Met zijn hand op het borstzakje liep hij naar boven. Op zijn kamer haalde hij het pasfotootje tevoorschijn en keek naar het gezicht van zijn vader, maar daar viel weinig aan te ontdekken. Het was niet eens zo'n oude foto, dat kon hij zien aan het strak achterovergekamde haar. Max keek van heel dichtbij naar het gezicht van zijn vader, maar daar viel weinig aan te ontdekken. Het was een typisch pasfotogezicht, zo van: wat zit ik hier in mijn eentje stom naar die camera te grijnzen.

Zo te zien was de foto in de zomer gemaakt, het gezicht was bruin en je zag nog net een klein stukje van een vrolijk gestreept overhemd. Dat hemd had papa nog. Dan moest die foto van afgelopen zomer zijn, want zijn vader deed echt geen twee jaar met hetzelfde hemd. Hij droeg altijd de laatste mode.

Max zocht een plekje voor de foto. Daar, op de voet van zijn bureaulamp, net achter het aan- en uit-knopje, daar zette hij het fotootje neer. Toen hij opkeek zag hij zijn gezicht in de kleine spiegel, die aan de muur achter de lamp hing. Hij trok zijn bovenlip op, zodat het spleetje tussen zijn tanden zichtbaar werd, en keek naar de pasfoto. Papa hield zijn lippen op elkaar, je kon zijn tanden niet zien. Maar Max kende het spleetje. Misschien nam hij wel een beugel, als het mocht van mama, zodat zijn tanden netjes naast elkaar stonden. Dan had hij in ieder geval niet dezelfde tanden als zijn vader.

Als alles weer wat rustig was, kon hij mama eens vragen wat ze van dat idee vond. Nee, dat kon hij maar beter niet doen. Zo'n beugel was hartstikke duur, had hij gehoord, en dan vond mama het weer erg als ze nee moest zeggen. Hij hield gewoon zijn hand voor zijn mond als hij moest lachen. Trouwens, wat viel er nog te lachen?

Max ging op de rand van zijn bed zitten en keek naar buiten. De regen striemde tegen het raam. Eigenlijk moest hij diep onder zijn dekbed kruipen en een winterslaap houden. En als hij dan wakker werd, zou hij ontdekken dat hij alles maar gedroomd had, dat er niks aan de hand was. Hij greep zijn dekbed, maar duwde het meteen weer weg en ging aan zijn bureau zitten.

Een winterslaap hielp niet, daarvoor was er te veel aan de hand. 'En dat is jouw schuld,' zei hij zacht tegen de pasfoto. 'Wat ben je nou eigenlijk voor een vader? Je droeg me toen ik klein was, en ik mocht op je schouders, maar daar weet ik niks meer van. Wat ik wel weet...'

Max rilde toen hij terugdacht aan die nacht, en toch was het al meer dan een jaar geleden. Hij was wakker geschrokken van hun stemmen. Heel even was hij blijven liggen. Maar hij had zich zorgen gemaakt, en het niet langer uitgehouden in bed. Muisstil was hij zijn kamer uitgeslopen. Boven aan de trap had hij staan luisteren.

'Dus jij wou scheiden?' hoorde hij zijn vader schreeuwen.

Mama's stem klonk zacht, Max kon haar niet verstaan.

Weer dat geschreeuw van zijn vader. 'Jij dacht dat je wel zonder mij kon?' Het bleef even stil. 'Weet je wat jij kunt? Niks! Helemaal niks! Je kunt niet eens in je eentje die tent hier draaiende houden.'

Opnieuw was het stil. Toen klonk mama's stem weer, heel zacht, Max kon niet horen wat ze zei.

'Hahaha!' had zijn vader gebulderd.

Max schrok ervan, hij voelde het kippenvel over zijn armen kruipen. Dat gelach beloofde niet veel goeds.

'Jij in je eentje verder...' raasde zijn vader. 'Laat me niet lachen! Mooie plannetjes, daar heb je zeker heel lang over nagedacht? Maar daar komt niks van terecht. En weet je waarom niet? Jij kunt niks, want je bent niks. Je bent helemaal niemand. Is dat duidelijk? En jij blijft hier, zolang ík dat wil. Dus haal het maar niet in je hoofd om weg te gaan, want ik weet je te vinden. In geen opvanghuis zul je nog veilig zijn.' Zijn vader ging steeds harder schreeuwen, maar opeens zweeg hij. Er klonk een geluid, alsof er met stoelen werd geschoven. Toen een korte gil van mama: 'Nee, Jaap! Nee!' Een doffe dreun.

Max perste zijn lippen op elkaar en drukte zijn nagels in zijn handen. De kamerdeur ging open. Een strook licht viel op de tegels in de gang. Max schoot weg van de trapleuning, maar de voetstappen kwamen niet naar boven. Met een klap sloeg de voordeur dicht.

Max kroop weer naar de trapleuning en wachtte tot hij mama hoorde. Ze zou zo wel naar bed gaan. Hij bleef luisteren, maar hij hoorde niks. Geen stem, geen voetstappen, geen enkel geluid. Dat kon toch niet, ze was daar toch beneden? Hij was de trap af gevlogen, het leek wel of zijn voeten de treden niet raakten, zo'n haast had hij. Hij smeet de kamerdeur open. Daar vond hij haar. Ze lag op de grond, naast de verwarming. Ze schrok toen ze hem zag, en trok een grimas. 'Niks aan de hand,' mompelde ze. Maar toen ze op wilde staan ging ze overgeven. Max was zo bang, maar tegelijkertijd ook zo verschrikkelijk kwaad. Toen hij zijn armen uitstak, om haar overeind te helpen, zag hij hoe zijn handen trilden. Misschien moest hij een dokter bellen? Hij vroeg het, maar dat vond ze niet nodig. Als ze in bed lag, zou het wel overgaan.

Maar het ging niet over. Toen hij zelf weer in bed lag, hoorde hij haar op de badkamer. Ze was nog steeds misselijk. Misschien was ze wel met haar hoofd tegen de radiator gevallen en had ze een hersenschudding. Dan kon ze maar beter stil blijven liggen. Dat moest hij ook, toen hij met zijn hoofd tegen de stoeprand was gevallen.

Hij had een emmer gehaald en die naast haar bed gezet. Daarna had hij nog een hele tijd geluisterd, maar niks meer gehoord. Toen waren zijn gedachten als vanzelf teruggegaan naar de ruzie. Mama wilde dus scheiden. Hij had het zelf gehoord.

De ouders van Hanneke, uit zijn klas, gingen ook scheiden en Hanneke was daar heel verdrietig om.

Nou, hij niet, hij zou er geen traan om laten. Mama had groot gelijk dat ze bij papa weg wilde. Hij hoopte al veel langer dat ze zou gaan scheiden, telkens als er weer zo'n akelige ruzie was. Hij dacht dat ze het nooit zou durven. Eigenlijk moesten kinderen ook kunnen scheiden, en dan kiezen wie er blijven mocht: papa of mama. En wat schoot hij daarmee op? Niks. Want na die ruzie wist hij zeker dat papa hen nooit liet gaan. Ze hadden levenslang. Toen nam hij een besluit: wanneer zijn vader weer thuiskwam, dan zou hij wel eens zeggen wat hij ervan dacht. Zo kon het echt niet langer.

Met een ruk draaide Max zijn bureaustoel een slag en keek naar het foototje. Opnieuw voelde hij de schaamte. Want toen zijn vader de volgende dag thuis was gekomen en deed alsof er niks gebeurd was, had hij zijn mond gehouden. Geen woord had hij durven zeggen. Zie je wel, hij was toch een loser.

Max draaide zijn stoel terug. Zijn ogen bleven hangen bij de afscheidsfoto van groep acht. Hanneke stond er ook op. Ineens moest hij denken aan wat ze gezegd had, de morgen na die ruzie. Hij had, voor hij naar school ging, de wc schoongemaakt met chloor. Niet omdat dat zijn hobby was, maar omdat de wc vies was van het spugen. En omdat hij wist dat mama het graag netjes had. Daarom had hij een flinke scheut chloor in een emmer water gedaan en de wc gepoetst. Toen hij op school kwam, had Hanneke haar neus dichtgeknepen en geroepen: 'Bah, het ruikt hier naar chloor. Wie stinkt er toch zo?' Hij had niks gezegd, en in het speelkwartier zijn handen heel lang onder de kraan gehouden.

Ach, wat maakte het uit, hij zag Hanneke toch nooit meer. Ze was verhuisd met haar moeder.

Hij rekte zich uit. Kom, hij ging zich maar eens aankleden. Misschien was er iets leuks op de teevee, iets beters wist hij niet te verzinnen.

Net toen hij de teevee aanzette ging de bel. Hij keek zijn moeder aan. Wie kon dat nou zijn? Ze kregen anders toch nooit bezoek? Zeker niet op deze tijd, het was pas half tien. Normaal sliep zijn vader dan nog, als hij tenminste thuis was. Zijn vader hield er niet van om ergens wakker van te worden, zeker niet van de bel. Daar kon hij zo woest om worden dat mama meestal de stekker uit de bel trok. Dan kon daar geen heisa van komen.

Zijn moeder liep naar de voordeur. De politie was er weer, dezelfde agenten als vannacht. Max hoorde hen zachtjes praten in de gang. Tinka sliep natuurlijk nog, daarom deden ze zachtjes. Of was er iets gebeurd? Mama zag bleek toen ze met de agenten binnenkwam.

Max schoof naar het puntje van de bank. 'Moet ik naar boven?'

'Blijf maar,' zei mama, nog steeds zachtjes, 'ze hebben papa.'

Ze hadden papa. Hij had het goed gehoord, maar kon niet meteen bevatten wat dit betekende. Was zijn vader gearresteerd, zomaar op straat opgepakt, in de boeien geslagen en afgevoerd naar een cel? Dat zou vreselijk zijn. Hij hoopte maar dat dat niet gebeurd was. Het was toch zijn vader. Misschien was hij uit zichzelf naar de politie gegaan, om uit te leggen dat het een misverstand was, dat ze hem verwarden met iemand anders.

Dat kon toch? De politie kon zich toch ook vergissen? Als dat laatste waar was zou zijn vader zo meteen weer gewoon binnenwandelen, alsof er niets gebeurd was. Nee, dat geloofde hij niet. Mama had toch gezegd dat het erger was dan ze dacht. Hij wilde het liever niet weten, maar tegelijkertijd ook weer wel.

Opeens kon hij niet langer stil op de bank blijven zitten. Hij sprong op. 'Is er thee?'

'Die zal wel koud zijn,' zei zijn moeder.

'Ik zet wel nieuwe. Iedereen thee?' Hij liep naar de keuken zonder het antwoord af te wachten. Zijn handen vulden de ketel met water, staken het gas aan en spoelden de theepot om. Zijn hoofd was ergens anders. Hoe zou hij het vinden als zijn vader weer thuiskwam? Die vraag spookte alsmaar door zijn hoofd. Nu hij het antwoord wist, schrok hij ervan. Hij zou er niet blij mee zijn. Zijn vader wist het altijd zo te draaien, dat het leek alsof hij het met hem eens was. Alsof ze samen tegen mama waren. Dat was niet zo, maar het gaf hem wel een rotgevoel. Hij moest gewoon nee tegen zijn vader zeggen, maar daar was hij te laf voor. En dat gaf een dubbel rotgevoel. Het zou voor hem een oplossing zijn als zijn vader een tijdje niet thuiskwam. Maar voor die gedachte schaamde hij zich diep.

Zijn moeder stond op de drempel van de keukendeur. 'Kookt dat theewater nog niet?'

Max schrok ervan en keek naar de ketel, die stond te dampen op het fornuis. Hij was de dop vergeten. Zo schoot het ook niet op natuurlijk. Opeens kreeg hij haast. Hij wilde weten wat er gebeurd was. Snel schonk hij het water in de theepot, doopte het zakje erin en liep naar de kamer. Met een lange straal schonk hij de kopjes vol, toen ging hij zitten.

Hij roerde in zijn thee en luisterde naar het verhaal van de agent. Toen die zweeg en de suiker allang was opgelost bleef hij nog roeren. Hij kon zich maar niet voorstellen dat het verhaal om zijn eigen vader ging. Dat het Observatie Team hem al een week volgde, dag en nacht. Omdat, en dat was nog het ergste, ze dachten dat hij bij een grote drugshandel betrokken was. Woensdag waren ze hem gevolgd naar een reisbureau, daar had hij vliegtickets gekocht voor zaterdag, vandaag dus. Naar Rio de Janeiro. Toen wisten ze dat ze niet veel tijd meer hadden om de zaak op te lossen. Maar het leek alsof zijn vader er lucht van had gekregen dat hij gevolgd werd, want opeens was hij spoorloos verdwenen. Vermoedelijk ondergedoken.

Vanaf dat moment was zijn huis onopvallend geobserveerd. En wat ze hoopten, gebeurde: afgelopen nacht dook zijn vader plotseling op en ging zijn huis binnen. Meteen werd het Arrestatie Team ingeschakeld om hem op te pakken. Maar hij was hun weer te slim af, want toen het Arrestatie Team kwam was de vogel gevlogen. Zonder dat iemand hem had zien gaan. Het was hun nog steeds een raadsel hoe dat kon. Gelukkig wisten ze van de tickets, en op het vliegveld was hij gearresteerd.

Max hield op met roeren en staarde in zijn mok. Hij durfde niemand aan te kijken en bleef naar zijn thee staren. Drugshandel? Rio de Janeiro? Dit was echt goed fout. Dit was zo erg, nog te erg voor tranen.

3

Juist toen zijn moeder de agenten uitliet kwam Tinka uit bed. Zo meteen ging mama het slechte nieuws ook tegen Tinka vertellen, dacht Max. Daar wilde hij niet bij zijn. Hij moest maken dat hij wegkwam.

Te laat. Tinka krulde zich in haar beertjesnachtpon dicht tegen hem aan op de bank. Toen mama erbij kwam zitten en over Tinka's haar begon te aaien, wist hij dat hij geen kant meer uit kon.

Mama vertelde heel simpel, zonder drugshandel en onderduiken, dat papa iets gedaan had wat niet mocht. En dat hij nu een poosje bij de politie moest blijven.

Tinka ging rechtop zitten, met grote ogen van verbazing. 'Is papa stout geweest?'

Mama knikte.

Hij zag Tinka denken.

'Papa hoeft toch niet naar de gevangenis, bij de boeven?'

Max hield zijn adem in. Kon mama nu maar nee zeggen, zodat het allemaal voorbij was. Maar ze zei ja. Toch knap dat ze dat kon. Als zijn vader er was leek ze vaak op een bang vogeltje, altijd op haar hoede voor de kater.

Tinka begon te huilen en kroop tegen mama aan.

Max klemde zijn kaken op elkaar. Wat een knurft was die vader van hem! Had hij niet even kunnen nadenken voor hij met die stomme dingen begon? Nu zaten zij met de shit.

'Ik ga nooit meer naar school,' huilde Tinka. 'Als ze weten dat je vader een boef is, gaan ze je pesten.'

Nooit meer naar school? Ja, dat zou een oplossing zijn.

'En dan wil Maartje nooit meer met mij spelen,' snikte Tinka. 'Dan heb ik helemaal geen vriendin meer.'

Dat is waar, dacht Max. Als Maryse alles wist, had hij ook geen vriendin meer. Maar dat was het ergste nog niet. Als Joris de waarheid wist, zou hij zijn beste vriend kwijt zijn.

Hij kreeg een idee. Zachtjes kriebelde hij onder Tinka's blote voeten. 'Hé, Tink-Rinkeldekink, ik heb een plan. We zeggen lekker niks op school. Jij niet, ik niet, we zeggen het tegen niemand. Het is ons geheim, alleen van jou en mij. Goed?'

Tinka hield op met huilen. Ze knikte. 'Maar ook van mama, hè Max?'

'Van jou, van mij en van mama.' Max knikte opgelucht. Dat was nog eens een goed plan. Ze zeiden het gewoon tegen niemand, dan wist geen mens ervan.

'Slotje,' zei Tinka. Ze draaide haar lippen op slot en daarna die van Max en mama. 'Nou is het pas echt geheim, hè Max?'

Max knikte. Zo simpel was het dus als je pas zes was. Hij stond op en rekte zich uit. Wat kon hij nu nog verzinnen om te zorgen dat deze eindeloze dag toch voorbijging?

Tinka bracht de oplossing. 'Max, zullen we een spelletje doen?' Haar ogen smeekten, terwijl ze aan zijn mouw trok.

Hij knikte. 'Wat voor spelletje wil je doen?'

'Ganzenbord?' vroeg Tinka.

Ganzenbord? Daar was toch zo'n spelregel van: ga naar de gevangenis? Dan ging Tinka vast weer huilen. En je kon ook nog in de put terechtkomen. Nou, ze zaten samen al diep genoeg in de put. Daar hadden ze geen ganzenbord voor nodig. Wat een rotspel.

29

Hij dacht snel na. 'Jij mag kiezen. Mens-erger-je-niet of dammen.'

Het antwoord wist hij al. Dammen natuurlijk. En hij wist ook al wie ging winnen. Want als hij even zogenaamd niet oplette, speelde Tinka vals. Nou ja, alles beter dan een droevige Tinka.

'Ik haal even mijn dambord,' zei hij, en hij liep naar zijn kamer. Op de grond, tussen zijn bureau en het raam, stond het dambord dat hij ooit van zijn moeder gekregen had. Het was van haar broer geweest. Hij pakte het op en bleef even stilstaan voor het raam. De lucht was donker en de regen gutste naar beneden. In de zinken bloembak, buiten onder het raam, stroomden kleine riviertjes over de bodem, op weg naar het afvoerpijpje. In de lente zouden ze weer geraniums krijgen van oma Trom. Rode geraniums die vrolijk zwaaiend voor zijn raam zouden staan.

Was het maar vast lente, hij had nou al genoeg van dat rotweer. Hij draaide zich om en zag de pasfoto. Langzaam liep hij ernaartoe, bij de foto bleef hij staan.

'Wie ben jij nou eigenlijk? Een ritselaar, een patser, dacht ik. Maar nu ben je dus ook nog een drugshandelaar.' Hij schrok ervan. Wat stond hij daar nou stom tegen die foto te praten. Tegen een foto durfde hij wel, maar in het echt...

Onder aan de trap riep Tinka. 'Max!'

Ja, hij was al onderweg. Toen hij beneden kwam, legde zijn moeder net de hoorn op de telefoon. Ze snoot haar neus. Had ze soms gehuild? Hij keek haar aan. 'Is er iets?'

'Nee, hoor. Ik had net oma aan de telefoon.'

'Oma... van papa?'

'Ja.' Verder zei ze niks.

Hij zei ook niks. Het zou voor oma ook wel moeilijk zijn.

'Ik ga pannenkoeken bakken,' zei zijn moeder. 'Daar hebben jullie vast wel zin in.' Op de drempel bij de keuken stond ze opeens stil. 'Ach, ik ben Tinka's drankje vergeten, en het hielp nog wel zo goed. Je hebt helemaal geen oorpijn meer, hè Tink?'

's Avonds, toen Tinka naar bed was, zat hij alleen met zijn moeder in de kamer. Ze waren 's avonds meestal met zijn tweeën, omdat papa dan bijna altijd weg was.

Max blies zacht over zijn warme chocolademelk en nam een slokje. Eigenlijk was het best gezellig zo. Toch raar dat je zoiets dacht als je vader vastzat. Maar het was wél zo, want ook al was zijn vader er vaak niet, altijd was er dat alarmbelletje in zijn hoofd dat elk moment kon gaan rinkelen. Je wist nooit wanneer hij kwam en wat er dan weer zou gebeuren.

'Wat zit je toch te denken?' vroeg mama opeens.

Hij vertelde zijn gedachten. Zou ze het raar vinden? Nee, gelukkig niet.

'Ik heb zelf ook veel nagedacht over de laatste tijd,' zei mama. 'En ik dacht: veel van wat er met je gebeurt, komt door jezelf.'

Hij snapte het niet.

'Ik bedoel... papa wilde nog wel eens vervelend tegen me doen.'

'Hij sloeg je.'

'Ja, dat deed hij, en dat was zijn fout. Maar ik liet me slaan, en dat was mijn fout. Ik had veel sterker moeten zijn, veel zekerder van mezelf, dan had hij me vast niet geslagen. Maar ik was niet tegen hem opgewassen. Snap je wat ik bedoel?'

Hij begon steeds harder te knikken. 'Je hebt het over mij. Weet je nog, vorige week, met die limousine? Ik wou echt niet mee, maar dat durfde ik niet te zeggen. Zo ging het iedere keer en dan vond ik mezelf zo'n lafaard. En ik vond het ook zo erg voor jou. Alsof ik je in de steek liet.' Hij was even stil en zuchtte. 'Daar heb ik nog steeds spijt van.'

Mama klopte hem op de hand. 'Hé, joh, kop op. Ik wist heus wel beter. Ik zag het aan je gezicht. Wij lijken op elkaar, hebben hetzelfde karakter. Papa had gelijk dat hij ons losers noemde, hij wist precies hoe hij ons aan moest pakken. Maar wij moeten zorgen dat we flinker worden, zodat we ons niet zo makkelijk plat laten walsen.'

Verbaasd keek hij zijn moeder aan. Ze klonk zo vastberaden, zo had hij haar niet eerder gezien. Het leek wel alsof ze in die ene, lange dag al heel veel had geleerd.

'Heb je dat allemaal zelf bedacht?' vroeg hij.

Ze lachte. 'Nee, ik las het in een tijdschrift bij de dokter. Maar ik meen het serieus. En als we het samen niet kunnen, dan gaan we maar naar Praatmans.' Zo noemde ze de psycholoog die naast de huisarts zat.

'Stond dat ook in dat tijdschrift?'

Ze knikte.

Zou dat echt waar zijn? Ze leek zo zeker, zou ze zelf soms al bij Praatmans zijn geweest? Hij moest het maar niet vragen. Hij ging trouwens toch naar bed, hij viel om van de slaap.

Gek hè, dat had hij nou altijd. Dan kieperde hij om van de slaap, maar in bed was hij opeens klaarwakker. Dan ging hij overal over liggen denken en kon helemaal niet meer slapen. En hij dacht toch heus niet aan vervelende dingen. Hij dacht aan vanavond, met mama in de kamer. Toch fijn dat ze samen gepraat hadden over die belangrijke dingen. Als mama zo tegen hem deed, dan voelde hij zich al een beetje volwassen. Met zijn vader erbij was dat nooit gebeurd, dan spraken ze niet zo met elkaar. Ze keken wel uit, zijn vader spotte overal mee.

Zijn gedachten dreven weg. In groep acht waren ze op excursie geweest naar het politiebureau. Toen had hij een cel vanbinnen gezien. Een agent had zelfs even de deur vergrendeld, zodat je kon voelen hoe het was om opgesloten te zijn. Ze hadden wat lacherig gedaan, maar echt leuk was het niet. Hoe zou zijn vader zich voelen nu hij opgesloten zat? Ellendig natuurlijk. Het was toch ook vreselijk; Max voelde de tranen branden in zijn ogen. Zijn vader was dan wel een rotzak, maar toch... Opgesloten zijn was erg. Maar drugshandel was ook heel erg.

Als hij zo begon te denken, kwam er helemaal niks meer van slapen. Hij knipte het lampje boven zijn bed aan en ging rechtop zitten. Meteen zag hij de foto. Vanaf de voet van de bureaulamp keek zijn vader hem aan.

'Ik heb je wel gehoord, vannacht,' fluisterde Max. 'Ik was al wakker voor de politie kwam. Maar ik wist niet dat jij het was. Wat kwam je doen?' Hij was even stil, alsof hij op antwoord wachtte. Maar de foto gaf geen antwoord. Daarom praatte hij verder, nog steeds fluisterend. 'Ik zou zo graag weten wat je kwam doen. Je koffers pakken, midden in de nacht? Dat geloof ik niet. Afscheid nemen van mij, en van mama en Tinka? Ik heb je niet gezien. Je kwam geen kus geven, terwijl je toch van plan was voorgoed te vertrekken. Je had de tickets voor Rio de Janeiro al op zak. Dan had je ons toch wel gedag kunnen zeggen? Of vond je dat niet de moeite waard? Vond je óns niet de moeite waard?'

Max was steeds harder gaan fluisteren, hij hijgde ervan. Maar hij bleef naar de foto kijken. 'Waar was je dan? Hoe

33

kon het dat de politie jou niet vond?' Hij leunde achterover, sloot zijn ogen en zuchtte.

Toen hij zijn ogen weer opende, keek de foto hem nog steeds aan. Dat piepkleine pasfotootje op zijn bureau bleef maar kijken. Zo kon hij natuurlijk helemaal niet meer slapen.

Hij duwde zijn dekbed weg, sprong uit bed en draaide de foto om. Toen kroop hij terug en knipte zijn lampje uit. Hij stompte zijn kussen tot een prop en draaide zich op zijn zij. Goh, wat was hij moe. Hij voelde zich zo loom, zo soezerig, langzaam gleed hij weg.

Er klonk gekraak. Meteen was hij klaarwakker. Hij klemde zijn dekbed vast en sperde zijn ogen open in het donker. Hij had gekraak gehoord, dat wist hij zeker. Maar waar kwam dat vandaan? Hij had geen idee en luisterde. Was het de voordeur? De trap? Of kwam het van buiten? Wat maakte zijn lijf een herrie. Het bloed suisde in zijn oren en zijn hart ging tekeer als een locomotief. Verder hoorde hij niks. Ja, toch wel, nu kraakte het weer. Hij ademde uit en glimlachte in het donker. Het was de berk van de buren, die kraakte in de wind. Had hij zich voor niks druk gemaakt, maar als je bijna sliep klonken geluiden soms heel anders.

Hij ging op zijn rug liggen en staarde in het donker. Nou papa in de cel zat verdiende hij natuurlijk ook geen geld. En mama werkte maar halve dagen, en niet eens elke dag. Zou ze het huis kunnen betalen? En de rekeningen? Straks kwamen ze nog op straat te staan.

Hij wilde niet verder denken en trok het dekbed over zich heen. De deur was weer gemaakt en zat op slot. Hij had zelf gezien dat zijn moeder de ketting erop deed. Voor het eerst sinds zijn vader weg was, gebruikte ze het kettingslot. Dus wat kon er nog gebeuren? Van alles natuurlijk, dat had hij de afgelopen nacht wel gemerkt. Maar zoiets overkwam hem vast geen tweede keer.

Buiten kletterde de regen tegen het raam. Hij hoopte maar dat het morgen droog was, dan kon hij eindelijk zijn kop even luchten.

4

Op zondag stopte het eindelijk met regenen. Maar het werd niet echt licht buiten en de wind rammelde aan de deuren. Max stond voor het raam en keek naar buiten. Hij voelde zich rusteloos en lusteloos. Er was zoveel gebeurd, allerlei gedachten spookten door zijn hoofd. Maar hoe diep hij ook nadacht, hij kon toch niet begrijpen waarom zijn vader zoiets gedaan had.

Zijn mobieltje trilde in zijn broekzak. Hij keek. Call, las hij. Het was vast Maryse. Hij nam niet op, had er geen zin in. Eigenlijk had hij nergens zin in. Dat kwam misschien ook doordat Joris weg was. Met Joris kon je gewoon iets doen zonder te praten. Maar Joris was dit weekend logeren bij zijn neefjes.

Misschien kon hij wel bij opa en oma langsgaan. Hij moest er even uit, voor zijn gevoel zat hij al een hele week binnen. Lekker even met zijn hoofd in de wind fietsen, zo ver was het niet. Zijn mobieltje liet hij thuis, hij had geen zin in die gemiste oproepen. Of zou hij het toch meenemen, voor het geval dat mama hem nodig had? Hij stond te twijfelen met het telefoontje in zijn hand. Het kleinste en nieuwste van de klas. Niemand in de brugklas had een mobiel waar zo veel functies op zaten. En hij was er niet eens echt blij mee. Vandaag kon hij het ding met plezier door het raam gooien. Hij had hem nu vier weken. Vier weken en twee dagen om precies te zijn, want hij kreeg hem op een vrijdag. Hij wist het maar al te goed. Zijn gedachten gleden terug naar die dag.

Hij was nog maar net uit school, toen zijn vader opeens was thuisgekomen. Vanaf de bank had Max gekeken hoe zijn vader zijn haren strak achteroverkamde, voor de spiegel boven de kast.

'Jaap,' vroeg mama, 'heb jij misschien wat geld voor de boodschappen?'

In de spiegel zag Max het gezicht van zijn vader verstrakken. Dat werd foute boel.

'Waarom zou ik jouw boodschappen betalen, als ik zelf niet eens mee-eet?' zei zijn vader langzaam. 'Jij werkt toch ook?'

Mama zuchtte. 'De baas heeft me weggestuurd. Hij wil niet dat zijn gasten bediend worden door iemand met zo'n gezicht.'

Zijn vader keek om. 'Dat kan ik me voorstellen, je ziet er niet uit. Maar ik heb ook geen geld. Vette pech voor jou, meid. Je moet toch eens wat handiger worden met make-up.'

Max balde zijn vuisten in zijn zakken. Wat een rotstreek. Hij keek naar mama's blauwe kaak, en naar de gezwollen bovenlip. Twee dagen geleden was het gebeurd. Hij was er niet bij geweest. Hij kwam net uit school de keuken binnen toen zijn vader de voordeur achter zich dichtknalde. Mama leunde trillend tegen de aanrecht. Max had gauw wat ijsklontjes in een theedoek gestopt, maar het had niet geholpen. Of misschien had het wel geholpen; je wist niet hoe erg het zonder die ijsklontjes geweest was.

Met zijn vuisten nog steeds in zijn zakken keek Max naar zijn vader voor de spiegel, maar die was weer druk met zijn zakkammetje bezig. Als mama nu maar niets meer vroeg…

Zijn vader stopte zijn kammetje weg en liep naar de deur. 'Kom op, Max, wij gaan de stad onveilig maken.'

Max voelde zich klein worden, zijn handen frunnikten zenuwachtig aan zijn trui.

Zijn vader had de deur al open, op de drempel draaide hij zich om. 'Nou, kom je nog? Een beetje tempo, jongen, anders kom je nergens in het leven.'

Met gebogen hoofd liep Max naar de deur, hij durfde zijn moeder niet aan te kijken.

Even later liepen ze door een drukke winkelstraat. Bij een witte deur met een kijkgat stond zijn vader stil.

'Max, ik moet even naar binnen, ik ben zo terug.' Hij belde aan en meteen ging de deur open. Op de drempel verscheen een man in een blauw trainingspak. Onder de flodderige broekspijpen staken de witte sportschoenen met dikke rode veters scherp af. De man had een grauw gezicht en onder zijn ogen hingen wallen waar je tasjes van kon maken. Toen zijn vader naar binnen ging, bleef de man een paar tellen staan. Hij keek Max aan en Max keek terug, heel even maar. Toen draaide de man zich om en sloot de deur. Max zag nog net de lange, sliertige staart op de rug. Hij wachtte. Er stond geen naamplaatje bij de bel. Wel was er een raam naast de deur, maar daardoor kon je niks zien. Het leek net alsof het binnen aardedonker was.

Zijn vader kwam algauw weer naar buiten. Hij zag er opgewekt uit en liep met grote, zwaaiende passen. Max had moeite hem bij te houden. Voor een etalage met telefoons bleven ze staan.

'Kijk daar eens,' wees zijn vader, 'daar ligt het allernieuwste mobieltje, de beeldtelefoon. Je kunt er foto's mee maken, internetten en naar muziek luisteren. En je kunt er nog mee bellen ook. Kom mee.'

Terwijl Max bij de ingang aarzelde, liep zijn vader meteen dwars door de winkel naar de toonbank. 'Hela, Max, welke kleur wil je? Ze hebben paars, blauw en zilver.'

Max kon wel door de grond zakken. Voor het geld van dat mobieltje kon mama minstens een week boodschappen doen. Misschien wel twee.

'Nou, weet je het al of blijf je daar kamperen op de mat?'

Als een haas schoot Max de winkel door. 'Blauw,' zei hij snel. Dat werd weer aardappelsoep vanavond.

Zijn vader haalde zijn portemonnee tevoorschijn. Die puilde uit van het papiergeld, Max zag het zelf.

De volgende dag was hij alleen naar die winkel gegaan. Maar ze gaven geen geld terug, hij kon wel een tegoedbon krijgen. Maar aan een tegoedbon had mama ook niks, daar kon ze geen boodschappen voor kopen.

Natuurlijk stond de hele klas zich te vergapen aan zijn mobieltje, met Joris voorop. 'Wauw, waar heb je dat vandaan?' wilde hij weten.

'Van mijn vader gehad,' zei hij mat.

Joris gaf hem een por. 'Ik wou dat ík zo'n vader had.'

'Ik denk het niet,' mompelde Max in zichzelf en hij had zijn telefoon onder in zijn rugzak gestopt.

Hij liet zijn mobieltje toch maar thuis, stapte op de fiets en reed de smalle straat uit. De wind stond pal van voren. Brrr, wat was het koud. Toen hij langs het buurtwinkelcentrum kwam, zag hij dat de winkels open waren. Het was koopzondag, vanwege Kerstmis natuurlijk. Uit de speakers onder de overkapping klonken vrolijke kerstliedjes met veel belgerinkel. Er liep een kerstman rond die alsmaar 'hohoho!' riep. Alles was versierd met groene takken en voor de bloemen- winkel op de hoek lag de stoep vol kerstbomen. In een ijze- ren vuurkorf knapperde een houtvuur en er stonden kraam- pjes met glühwein en worstenbroodjes.

Max stapte af. Met zijn fiets aan de hand liep hij langs de etalages. Glinsterende kerstballen, fonkelende glazen, zilve- ren schalen… Het blonk hem tegemoet. Opeens kreeg hij een vreselijke hekel aan Kerstmis. Dat zou wel weer net zo gaan als met Sinterklaas. Mama had voor Tinka en hem elk een chocoladeletter gekocht en die hadden ze opgegeten. Dat was hun pakjesavond geweest.

Zijn vader was niet thuis geweest, hij vond het niet nodig Sinterklaas te vieren. 'Ik ga toch zeker geen geld uitgeven voor de verjaardag van een ouwe kerel, die allang dood is,' had hij gezegd. Mama had nog snel haar vinger op haar lip- pen gelegd, vanwege Tinka, en heel smekend gekeken. Maar het had niks geholpen. 'Ik zal me daar een beetje de mid- denstand gaan sponsoren,' bromde zijn vader. 'Ik weet wel wat ik liever doe.'

'Wat heb jij gekregen?' vroeg Joris de volgende dag nieuws- gierig.

'Wij doen niet meer aan pakjesavond,' loog Max. En straks zou hij moeten zeggen: wij doen niet aan Kerstmis.

Alhoewel… mama hield wel van gezelligheid, ze wilde ook graag een kerstboom in huis. Zou zo'n boom duur zijn? Het antwoord volgde meteen. Al lopend was hij bij de winkel op de hoek beland.

'Mooie kerstbomen!' prees de bloemist. 'Vanaf twintig eu- ro, uitzoeken maar!'

Twintig euro? Dat was duur. Zou dat niet minder kunnen? Hij waagde het erop. 'Hebt u ook kleine boompjes, goedkopere?' vroeg hij.

De bloemist was zo beroerd nog niet. 'Vijftien euro, voor een grote, omdat jij het bent.'

Max had geen vijftien euro, maar wel een spetterend idee. Hij zou het geld aan oma vragen, ze zou heus wel begrijpen dat ze geen kerstboom konden betalen nu zijn vader opgepakt was. Hij sprong op zijn fiets en trapte weg.

J. de Boer, stond er in krulletters op het naambordje boven de bel. Max belde aan.

Oma was niet al te vrolijk. 'Kom maar gauw binnen,' bromde ze. 'Er komt veel te veel kou in huis als de deur zo lang openstaat. En we stoken hier niet voor de kat zijn viool.'

Dat klonk weinig hoopvol. Opa zei ook al niet veel. Maar die zei eigenlijk nooit veel, hij zat liever voor de televisie.

'Wil je thee?' bromde oma.

'Ja graag, oma,' zei hij beleefd.

'Jaap, thee?'

Opa mompelde wat en oma schonk zijn mok vol.

'Het is allemaal wat,' zei oma met een zucht.

Max blies in zijn hete thee en zweeg.

Oma zuchtte opnieuw. 'Wat een toestand.'

Max knikte. Hij probeerde zijn hete thee naar binnen te werken.

'Wie had dat ooit kunnen denken, mijn Jaap achter de tralies.' Oma kreunde, toverde een kreukelige zakdoek uit haar mouw en snoot haar neus. 'En dat nog wel met de kerst, heel de feestdagen naar de knoppen.'

Max keek op van zijn mok. Nu waren ze precies waar hij wezen moest. Hij knikte. 'Ja, jammer, hè oma? Nou papa er niet is hebben we geeneens geld voor een kerstboom. En nou dacht ik: oma snapt dat vast wel. Die wil voor deze ene keer wel onze kerstboom betalen.'

Oma kreeg een hoestbui, ze zwaaide druk met haar armen. 'Een kerstboom? Wat een brutaliteit. Je moeder heeft je zeker gestuurd?'

Geschrokken schudde Max zijn hoofd. 'Nee, oma, echt niet. Mama weet van niks.'

'Ja, ja, typisch je moeder. Die weet nooit van iets. Nog een geluk dat jij op je vader lijkt.' Oma perste haar lippen op elkaar tot een streep. Ze vouwde haar dikke, korte armen voor haar enorme boezem en keek hem met slinkse oogjes aan. 'Ik zal jou eens haarfijn uitleggen hoe het zit: het is allemaal de schuld van je moeder.'

'Sjaan! Zo is het wel genoeg.' Vanuit zijn stoel voor de televisie protesteerde opa.

'Genoeg?' stoof oma op. 'Ik ben net begonnen.' Ze keek Max weer aan. 'Mijn Jaap was een prima kerel, altijd goed voor zijn moeder, tot hij jouw moeder tegenkwam. Hij had nooit met haar moeten trouwen, ze liet hem zijn gang maar gaan, vond alles goed. En nou zie je wat ervan komt. Mijn enige kind in de gevangenis... door haar schuld, zij had hem tegen moeten houden.' Opnieuw kwamen de tranen.

'Verkeerde vrienden, zul je bedoelen,' mompelde opa.

Maar oma hoorde het niet, of deed alsof ze het niet hoorde. Ze droogde haar tranen, die maar bleven stromen, tot haar zakdoek kletsnat was.

Max schoof ongemakkelijk op zijn stoel heen en weer. Hij wilde weg. Zijn mok was leeg, maar hij kon nu toch moeilijk opstaan en vertrekken.

Oma stond op. Ze stommelde door de duistere kamer,

knipte een zuinig schemerlampje aan en trok de gordijnen dicht. Ze liet zich weer in haar stoel zakken en snoot haar neus. 'Het is voor mij allemaal veel erger dan voor haar. En dan durft ze ook nog een kind te sturen om geld voor een kerstboom… Geen cent krijgt ze.'

Dat kon Max toch echt niet over zijn kant laten gaan. 'Mama heeft me niet gestuurd. Die kerstboom was mijn idee, om haar en Tinka te verrassen.'

Oma stopte de zakdoek weer in haar mouw. 'Mijn Jaap in de cel, wie denkt er dan nog aan een kerstboom?'

Max hield het niet langer uit, hij zat op het puntje van zijn stoel. Hoe kwam hij hier weg?

Opa schoot hem te hulp. 'Ik denk dat Max naar huis moet, het loopt tegen etenstijd. Ik laat hem wel uit.'

Max sprong op. 'Dag oma.'

'Dag jongen, kom je nog eens langs?'

Nooit van mijn leven, dacht Max. Maar dat durfde hij niet te zeggen. Wat had hij hier te zoeken? Zijn moeder af laten kammen? Met een rotgevoel liep hij achter opa aan de gang in en pakte zijn jack van de kapstok.

'Knoop je jas maar goed dicht, het is guur buiten,' zei opa hard. En toen, fluisterend: 'Trek je maar niks aan van oma, ze is van slag. Hier, mondje dicht.' Hij stopte iets in Max zijn jaszak en trok de voordeur open. 'Hou je haaks, jongen, en de groetjes aan mama en Tinka.'

Max gaf opa een kus en fietste weg. Ah, wat was het koud. Een gemene wind joeg dwars door de straat en liet de tranen in zijn ogen springen. In elkaar gedoken zat hij op zijn fiets. Wat een stom idee van hem om naar opa en oma te gaan. Het was allemaal al erg genoeg, zonder dat gedram van oma. Wat gemeen om mama de schuld te geven. Als ze maar wist dat hij nooit meer terugkwam. Nooit meer. Voor opa moest het toch ook heel verdrietig zijn, maar die deed niet vervelend. Wat zou opa trouwens in zijn zak gestopt hebben?

Hij hield stil onder een lantaarnpaal en voelde in zijn jaszak. Een briefje van twintig! Zijn rotgevoel verdween op slag. En dat was niet alleen omdat hij nu een kerstboom kon kopen. Na alle nare dingen die oma had gezegd, was het des te fijner dat opa toch een bondgenoot bleek te zijn.

Toen hij weer opstapte, leek de wind opeens veel minder guur. Het kleine winkelcentrum lag er bijna verlaten bij. De jolige kerstman was verdwenen, de kraampjes werden afgebroken en winkeliers waren bezig reclameborden binnen te halen. De bloemist op de hoek had zijn kerststukjes al binnen en begon nu met het opruimen van de kerstbomen. Er lagen er nog heel wat, zag Max. Hij zette zijn fiets op slot en liep naar de bomen.

'Ha, ben je er weer?' zei de bloemist, terwijl hij twee bomen beetpakte om naar achteren te sjouwen.

De bloemist herkende hem, dan zou die zich vast nog wel de speciale prijs herinneren die hij beloofd had.

'Zal ik helpen?' Max greep ook twee bomen en volgde de bloemist. De ene stam plakte aan zijn hand. Daar zat natuurlijk zo'n glibberige klodder aan. Hars, of hoe dat spul ook alweer heette. Maar voor vijf euro korting had hij dat graag over.

Er kwam nog een late klant, een mevrouw met een bontmuts en een lichte, zwierige mantel. Ze zocht twee grote kerstbomen uit, en verdween met de bloemist naar binnen om af te rekenen. Ze waren tegelijk klaar, Max met de kerstbomen en de bloemist met de klant. Tevreden wreef de bloemenman zich in de handen. 'Zo, dat heb je snel gedaan. Maar waar is jouw boom?'

'Vergeten,' zei Max.

Samen liepen ze naar achteren. In het licht van de schijnwerper zocht de bloemist een mooie, volle boom uit. 'Hier, tien euro, omdat je me geholpen hebt.'

Wat een mazzel. 'Dank u wel, meneer.'

'Nee, jij bedankt.'

Met de grote kerstboom dwars over zijn fiets liep Max het laatste stuk naar huis. Zijn moeder stond voor het raam op de uitkijk en had niet eens in de gaten dat hij het was, achter die grote boom. Pas toen hij zijn hand opstak, stoof ze onmiddellijk naar de voordeur.

'Max, wat ben je laat! Ik maakte me al zorgen. Waar moet je met die kerstboom heen?'

Max lachte haar zorgen weg. 'Alsjeblieft, die is voor jou. Speciaal prijsje van de bloemist, omdat ik hem geholpen heb.' Hij sleepte de grote boom naar de voordeur. In het schijnsel van de ganglamp zag hij haar gezicht. Ze stond te stralen als een sterretje, zo blij was ze.

'Opa gaf me geld om een kerstboom te kopen,' vertelde hij.

Er gleed een schaduw over haar gezicht. 'Opa? Ben je bij opa en oma geweest?'

Max keek haar vragend aan. 'Is er iets?'

Mama aarzelde. 'Ik had oma aan de telefoon, ze was niet echt vriendelijk.'

Max knikte. 'Ze was helemaal niet aardig, ik had meteen spijt dat ik langs was gegaan. Maar opa was tof. In de gang gaf hij me stiekem geld voor een kerstboom, oma weet er niks van.' Hij vertelde maar niet dat hij om dat geld had gevraagd.

Na het eten versierden ze met zijn drieën de kerstboom.

Toen knipte mama alle lampen uit, alleen de lichtjes van de kerstboom brandden. Ze schitterden in Tinka's ogen.

Max keek om zich heen. De hele kamer geurde naar vers dennengroen. Mama zat zo rustig op de bank en Tinka kreeg maar niet genoeg van de fonkelende boom. Ze zat op de grond, vlak voor de boom, tot het bedtijd was. Dat zo'n rotdag toch nog zo kon eindigen... dat had hij vanmorgen niet kunnen vermoeden. En daar had hijzelf toch maar mooi voor gezorgd. Maar hij was nog iets van plan.

Eerder dan anders stond hij op. 'Ik ga naar bed.'

Mama keek naar de klok. 'Zo vroeg al? Ben je moe?'

Hij schudde zijn hoofd. 'Ik wil nog even douchen, en mijn haren wassen.'

Ze pakte allebei zijn handen vast. 'Max, bedankt voor de boom. Je bent geweldig!'

Hij was zo blij, dat hij bijna naar boven zweefde. Op de badkamer keek hij even in de spiegel naar zijn kapsel. Strak achterover, net als zijn vader. Maar wel met veel gel, anders bleef het niet zitten. Hij draaide de douchekraan open en pakte de shampoo. Met alle tien zijn vingers masseerde hij zijn hoofd, tot de gel verdwenen was. Daarna bleef hij nog even staan, terwijl het warme water om hem heen kroop. Toen hij de kraan dichtdraaide was de spiegel beslagen, maar dat gaf niet. Hij droogde zich af, boog voorover en draaide de handdoek om zijn hoofd. Op de rand van zijn bed wachtte hij.

Hij was heus niet vergeten wat oma had gezegd. In zijn hoofd hoorde hij haar stem weer: nog een geluk dat jij op je vader lijkt. Nou, als er één mens op de wereld rondliep op wie hij niet wilde lijken, was het zijn vader wel. Dat ze toevallig hetzelfde kapsel hadden, wilde nog niet zeggen dat ze

46

hetzelfde karakter hadden. Een kapsel kon je veranderen en dat ging hij nu doen. Hij keek op de wekker en wachtte nog vijf minuten. Toen trok hij de handdoek van zijn hoofd en woelde met twee handen door zijn haar. Zou het zo goed zijn? Aarzelend liep hij naar het spiegeltje aan de muur. Verbaasd keek hij naar zichzelf. Het was gelukt. Hij zag er ineens veel vrolijker uit met al die plukjes haar op zijn kop. Dat moest mama zien.

Hij roffelde de trap af en gooide de kamerdeur open. 'Hoe vind je mijn nieuwe kapsel?'

'Je lijkt wel een nieuw mens,' zei ze. En aan haar ogen zag hij dat ze het leuk vond.

Hij liep terug naar zijn kamer en bleef even voor de spiegel staan. Toen keek hij naar de foto. 'Dat wist je niet, hè, dat ik plukhaar had? Geeft niks, hoor, ik wist het zelf ook niet. Nooit geprobeerd. En weet je waarom niet?' Hij leunde met zijn armen op het bureau, zijn gezicht dicht bij de foto. 'Onder de douche wist ik het opeens weer. Ik werd vier en ik mocht voor het eerst naar school. Mama wilde mijn haar borstelen, we stonden samen voor de spiegel in de badkamer. En toen zei ik: "Ik wil net zulk haar als papa." Mama deed een beetje van jouw gel in mijn haar en kamde het achterover. Ik was zo trots, dat weet ik nu nog. Later knipte de kapper het wel eens anders, maar na een tijdje zat het toch weer hetzelfde: strak achterover. Net als papa. Maar nou niet meer, hoor je dat? Nou niet meer.'

Hij kwam overeind en wilde zich omdraaien. Maar hij bedacht zich en pakte het fotootje vast. 'Jammer dat je onze kerstboom niet kunt zien,' zei hij zacht. 'Het is de mooiste en grootste boom die we ooit gehad hebben. En daar heb ík voor gezorgd! Had je niet gedacht, hè, dat ik dat kon?'

5

Toen Max de volgende morgen de trap afliep, rook hij meteen de geur van verse dennennaalden. Dat had hij toch maar
mooi geregeld met die kerstboom. Een lekker gevoel gaf dat.
De krant lag nog op de deurmat, hij bukte zich om hem op
te rapen. Mama was zeker nog niet wakker, meestal nam zij
de krant mee. Max las hem nooit.

Hij legde de krant op tafel en wilde doorlopen naar de
kerstboom om de lichtjes aan te doen. Opeens stond hij stil,
draaide zich om en keek naar de voorpagina van de krant.
Zijn ogen vlogen over de koppen. Ja, daar stond het: POLI-
TIE ROLT DRUGSBENDE OP. De vetgedrukte kop deed hem
niks, wat volgde des te meer.

*Met de arrestatie van de 37-jarige Jaap de B. is de politie een
omvangrijk drugsnetwerk op het spoor. Jaap de B. werd op de
luchthaven aangehouden in gezelschap van zijn 20-jarige
vriendin, met wie hij naar Rio de Janeiro wilde uitwijken. De
vriendin is na verhoor vrijgelaten. Nader onderzoek wees uit dat
De B. ruim een kwart miljoen euro naar een buitenlandse
bankrekening had doorgesluisd. De eerder deze week verrichte
huiszoeking bij De B. leverde volgens de politie niets op. Er
worden meer aanhoudingen in deze zaak verwacht.*

Als een zombie stond Max daar, met de krant tussen zijn verkrampte vingers. Jaap de B., het stond er nog net niet hele-

maal, het scheelde maar drie letters. Bijna had hij zelf Jaap de Boer geheten, naar papa en opa. Maar een maand voor zijn geboorte verongelukte mama's broer Max.

Langzaam zakte hij neer op een stoel, de krant ritselend tussen zijn vingers. Hij keek ernaar. Wat zat hij hier nou stom te denken over namen? Daar ging het toch niet om? Het ging heel ergens anders om. Zijn vader stond in de krant, op de voorpagina nog wel. Iedereen kon het lezen. Nou wist heel de wereld het, zijn school, zijn klas, zijn vrienden. Hij kon zich nergens meer laten zien. Als mama maar niet dacht dat hij vandaag naar school ging. Iedereen zou hem nawijzen. Alsof híj er wat aan kon doen.

Hij liet de krant los en friemelde met zijn vingers aan zijn haar. Het was toch niet te geloven. Hij pakte de krant weer en las het stuk opnieuw. Het stond er echt. Jaap de B. had een vriendin, Jaap de B. was rijk. En Jaap de B. was zijn vader, maar dat stond er niet bij.

Max leunde achterover en staarde naar het plafond. Had zijn vader een vriendin? Het stond er echt. Langzaam liet Max het nieuws tot zich doordringen. Als er niks tussengekomen was, had zijn vader hem en mama en Tinka mooi de moord laten stikken. Alsof zij nooit bestaan hadden, nooit iets voor hem betekend hadden. Zijn vader had hen gewoon gedumpt. Hij ging liever met zijn vriendin weg.

Rio de Janeiro, dan dacht je toch aan feestvieren op het strand onder de palmen. Aan zon en vrolijk gekleurde drankjes met parasolletjes erin. Nee, dan dacht je niet aan aardappelsoep. Een vriendin van twintig, papa leek wel gek! Als mama dat wist…

Te laat hoorde hij de deur; mama kwam binnen. Hij verstopte nog gauw de krant onder de tafel. Die vriendin en dat geld, dat kon hij mama niet aandoen. Vooral die vriendin niet. Maar hij was te laat, ze had nog net de krant gezien. 'Staat er iets in over papa?'

Max deed alsof hij haar niet hoorde, maar ze trok zacht aan zijn arm en haalde de krant tussen zijn vingers uit. Ze schrok niet eens zo erg, lang zo erg niet als hij had gedacht. Of wist ze het soms al? Hij vroeg het. Ze knikte.

Even was hij sprakeloos. Toen vroeg hij: 'Wist je het al lang?'

Ze schoof de krant opzij en keek hem aan. 'Sinds zaterdag, de politie vertelde het. Maar ik vond het niet nodig dat jullie het wisten, het was al ellendig genoeg.'

Max knikte. Ellende was er genoeg, ja. Als zijn vader er was, maar misschien nog wel meer als hij er niet was. Hij aarzelde, wilde zijn moeder er liever niet mee lastigvallen, maar hij moest wel. 'Mam, ik kan toch zo niet naar school? Iedereen weet het, nu het in de krant staat. Kun je me niet ziek melden?' Ja, dat was een goed idee, dat hij daar niet eerder op gekomen was. De proefwerkweek was net achter de rug, en ze hadden niet eens zo lang meer les voor de kerstvakantie begon. Als die voorbij was, waren ze al haast een maand verder. Dan dacht niemand meer aan dat stukje in de krant. 'Toe, mam, mag het?'

Ze sloot haar handen om zijn polsen en keek hem dringend aan. 'Om die krant? Die lees je anders toch ook nooit. Is er iemand in jouw klas die de krant leest?'

Aarzelend schudde hij zijn hoofd.

'Nou dan. Morgen ligt die krant bij het oud papier, dan is er weer iets anders waar de mensen over praten.' Hij voelde de greep om zijn polsen verstrakken. 'Max! We moeten ons erdoorheen bijten. Als we onszelf nu opsluiten in huis, dan duurt het nog veel langer voor we eroverheen zijn. We moeten verder met ons leven, jij, Tinka en ik.'

Max keek op. Ze klonk zo vastberaden, maar in haar ogen zag hij verdriet. En onzekerheid. Haar handen klemden zich nog steeds om zijn polsen toen ze zei: 'Er is al zoveel misgegaan, misschien is dit de kans om opnieuw te beginnen, op onze manier.'

Op de trap klonk gestommel.

'Daar komt Tinka aan,' zei mama en ze liet zijn handen los. 'Doe die krant maar weg. Ik denk dat ik het abonnement opzeg, dat scheelt weer geld.'

Met warrige haren en haar badjas scheef dichtgeknoopt kwam Tinka beneden. Ze liep meteen naar de kerstboom. 'Mogen de lichtjes aan?' Op de grond, voor de boom, at ze haar boterham. Er zat pasta op. Max zag de chocoladevegen op allebei haar wangen toen ze naar hem toe kwam. Ze hield haar mond zo dicht bij zijn oren, dat hij van schrik opzij dook. 'Wij hebben een geheim,' fluisterde ze. 'En we zeggen het tegen niemand.'

'Tegen helemaal niemand,' fluisterde Max terug.

Tinka sloeg haar armen om hem heen, maar Max maakte zich los en sprong op. 'Help! Ik wil geen chocoladesnor, dan lachen ze me allemaal uit op school.' Hij rende naar boven, achtervolgd door Tinka. Maar zij moest zo erg lachen, dat ze halverwege de trap op een tree bleef zitten.

Max dook zijn kamer in. Hijgend bleef hij staan, met zijn rug tegen de deur. Hij moest zijn agenda inkijken en zijn boeken pakken, maar hij kon het niet. Echt niet. Tranen liepen over zijn wangen. Hij deed geen moeite om ze tegen te houden. Langzaam gleed hij langs de deur naar beneden. Zo zat hij een poos, met opgetrokken knieën en gebogen hoofd.

De tranen druppelden op zijn spijkerbroek en maakten donkere, natte vlekken. School? Alleen het woord al voelde als een steen in zijn maag. Mama had makkelijk praten. Meteen schaamde hij zich voor die gedachte. Mama had het ook moeilijk, maar zij hoefde tenminste niet naar school. Hij kon maar beter stoppen met dat gejank, straks moest hij nog een droge broek aantrekken. Hij haalde zijn neus op en kwam overeind. Toen zag hij de foto, die stomme pasfoto. Hij liep eropaf, zo kwaad, dat hij het liefst op de foto had gespuugd. 'Heb je nou je zin? Ik kan mijn gezicht niet eens meer op school laten zien. Je wordt bedankt.' Met één handbeweging drukte hij de foto plat tegen het bureau.

Langzaam fietste hij het straatje uit, hij kon niet sneller. Het was alsof er een hand strak om zijn keel greep. Zijn hart bonkte oorverdovend en zijn voeten trilden op de trappers. Kon hij deze dag maar overslaan.

Het kleine winkelcentrum lag er verlaten bij, alleen voor de buurtsuper stonden een paar fietsen. God, wat was het koud. Hij boog zich over zijn stuur en ploeterde verder. Na de bocht zou hij het weten. Voorbij de videotheek op de hoek, waar de straten breder waren en de huizen groot en vrijstaand, daar zou Maryse wachten. Of niet... Als ze er niet was, wist ze het. En hij wist niet of hij dan nog de moed had om door te fietsen naar school. Hij dacht van niet, terwijl hij zijn fiets de bocht door stuurde. De hobbelige stenen gingen over in glad asfalt, maar zijn voeten bleven trillen. Hij durfde niet op te kijken. Met het tempo van een slak kroop hij over de weg, alsof het asfalt plakte. Pas toen er een fietsbel rinkelde keek hij op.

Daar stond ze mooi te zijn langs de kant van de weg. Zou

ze zien dat hij gehuild had? Liters water had hij in zijn gezicht geplensd.

Hij hield op met denken, en keek alleen maar. Ze droeg een brede, roze haarband om haar blonde krullen, dezelfde kleur als haar ski-jack. En haar wangen met kuiltjes waren net zo roze als haar volle lippen. Hij dreef weg op romige, roze wolken. Dat zij hem had uitgekozen, uitgerekend hem. Hij was echt niet bijzonder, vond zichzelf niet knap en droeg al helemaal geen dure merken. En toch koos zij hem, want zo was het gegaan en niet andersom.

Natuurlijk had hij haar op de eerste schooldag al gezien. Om precies te zijn: op de allereerste minuut van de eerste dag. Wauw! had hij gedacht. Maar tegelijkertijd wist hij dat alle jongens uit zijn nieuwe klas ook zo zouden denken. En er waren natuurlijk meteen een paar van die haantjes die zich voor haar uitsloofden. Hem zag ze niet staan, dat had hij ook geen moment verwacht. Ze koos Bob, maar die had dan ook bij elke kleur broek een paar passende, peperdure sportschoenen. Bij wijze van spreken dan. Daar kon toch niemand tegenop? Toen volgde Wiebe, de langste jongen van de klas. Eigenlijk was Wiebe niet veel groter dan hijzelf, maar Wiebe was gespierd. Zelf had hij van die slungelarmen. In de kleedkamer had hij zich stilletjes zitten vergapen aan de spierbundels op Wiebes armen en benen, en thuis voor de spiegel had hij vergeleken. Nou, er viel niks te vergelijken, want zijn eigen armen en benen waren zo recht en dun als satéstokjes. Toen hij hoorde dat Wiebe aan krachttraining deed, was hij thuis stiekem gaan trainen met de halters van zijn vader. Niet om een kans te maken bij Maryse – hij snapte heus wel dat ze hem niet zag zitten – maar omdat hij het mooi vond iets gespierder te zijn. En zijn vader gebruikte die halters toch nooit, want die ging minstens drie keer per week naar de sportschool.

Elke avond trainde hij een half uur. Totdat zijn moeder op een keer voor zijn neus stond en schrok. Zelf schrok hij ook, want hij had haar niet aan horen komen. Maar zijn moeder schrok omdat hij met die veel te zware gewichten worstelde, en dat was heel slecht als je lijf nog in de groei was. Hij was ermee gestopt. Na vier dagen trainen waren zijn armen en benen nog steeds even recht en dun. En toch had Maryse hem gekozen.

Opeens verloor Max zijn evenwicht, schrok en probeerde overeind te blijven. Te laat! Voor hij besefte wat er gebeurde zat hij al naast zijn fiets op de grond. Maryse riep wat naar hem. Hij zag kleine rookwolkjes uit haar mond komen, zo koud was het. Maar hij had het niet koud meer. Zijn hele lijf tintelde, omdat ze toch op hem gewacht had. Alleen was hij door al dat dromen vergeten te trappen – en hij had al zo'n slakkengangetje – waardoor hij zo van zijn roze wolk op de grond viel. Hij krabbelde overeind, lachte en stapte op.

'Wat zit je haar leuk.' Ze bleef maar naar hem kijken.

Hij haalde zijn schouders op, wist niet wat hij zeggen moest. Maar intussen dacht hij: zie je wel, ze weet van niks.

Samen reden ze verder. Zijn fiets trapte een stuk lichter nu ze vrolijk pratend naast hem reed. Hij hoorde haar wel, maar luisterde niet. Hij stak zijn nek uit, ondanks de kou, en tuurde in de verte. Zou Joris bij de rotonde op hem wachten? De snijdende wind joeg tranen in zijn ogen, maar hij bleef voor zich uit turen. Die groene vlek, was dat het jack van Joris? Max wreef met zijn handschoen langs zijn ogen. Ja, het was Joris. Hij stond te wachten bij de rotonde, terwijl Rosa hijgend aan kwam sjezen. Op het nippertje, zoals zo vaak. Maryse hield in om op Rosa te wachten, terwijl Joris naast Max ging rijden. Ze trapten niet door, Maryse en Rosa waren er nog niet.

Max sjorde zijn rugzak recht. Zou Joris iets weten? Hij keek zo. Max voelde het wel, maar durfde niet terug te kijken. En hij durfde al helemaal niks te vragen, bang voor het antwoord. Hij probeerde de brok in zijn keel weg te slikken.

'Kappertje gepakt?' vroeg Joris.

Verbaasd keek Max opzij, hij had helemaal niet meer aan zijn nieuwe kapsel gedacht.

'Staat je leuk,' zei Joris weer.

Joris deed gewoon. Dan moest hij zelf ook maar doen alsof er niets aan de hand was. Iets gewoons zeggen. Maar wat? O ja, Joris was weg geweest. 'Hoe was je weekend?'

Joris lachte zijn ogen tot spleetjes. 'Leuk! Met mijn neefjes kun je lachen. Tjonge... Jij hebt ze toch wel eens gezien bij mij thuis?'

Max schudde zijn hoofd.

'Nee? O, dat dacht ik. Als ze er weer eens een weekend zijn moet je echt komen. En blijven slapen natuurlijk, want dat is het leukste.' Even was Joris stil, toen keek hij opzij naar Max. 'En hoe was jouw weekend? Nog iets bijzonders?'

Geschrokken keek Max voor zich. Heel even had hij de blik in Joris' ogen gezien, strak op hem gericht. Joris wist het! Max had het gevoel alsof zijn keel werd dichtgeknepen. Als Joris het wist... Hij slikte, durfde niet opzij te kijken en dacht snel na. Nee, Joris wist het niet. Joris had hem net nog uitgenodigd voor als zijn neefjes kwamen. En wie vroeg er nou de zoon van een crimineel te logeren? Nou dan.

Joris liet zich half van zijn zadel glijden en keek achterom, waar Maryse en Rosa op afstand volgden. 'Hela, komt er nog wat van, stelletje sportfiguren?'

Zie je wel, Joris wist van niks. Hij deed net als anders, alsof er nooit wat gebeurd was.

Langzaam kwamen Maryse en Rosa dichterbij. Ze kletsten harder dan ze trapten. Max ving flarden op, hij hoorde Maryse praten over de kerstvakantie. Ze ging skiën in Zwitserland, dat deed ze blijkbaar elk jaar. Op één keer na, toen waren ze naar Mexico geweest met de kerst. Maar het bleef bij die ene keer, want wintersport vonden ze leuker. Bovendien gingen ze 's zomers toch altijd al naar Florida.

Max luisterde. Mexico, Zwitserland, Florida. Zelf was hij nooit verder gekomen dan een dagje naar de dierentuin in Antwerpen. Zijn gedachten dwaalden af naar het krantenbericht. Hoeveel geld had zijn vader ook alweer op de bank staan? Meer dan een kwart miljoen euro. Daar hadden ze best van op wintersport gekund. En dan bleef er nog genoeg geld over voor Mexico en Florida. Hij perste zijn lippen op elkaar, klemde zijn handen om het stuur. Zijn vader had toch wel iets aan hen kunnen geven, de egoïst? Misschien was er nog veel meer geld, ergens in een geheime kluis. Misschien was zijn vader wel miljonair. Stel je voor, zíjn vader miljonair…

De fiets hobbelde hard over een afgewaaide tak. Max schrok op uit zijn gedachten. Mooie miljonair, met drugsgeld zeker. Dat pakten ze toch af?

Hij kneep in de remmen en reed het hek door, de fietsenstalling in. Op het volle schoolplein voelde hij de spanning terugkomen. Hij werd opnieuw waakzaam, en keek onopvallend om zich heen. Niemand lette op hem, ook in de klas niet. Hij schoof wat onrustig op zijn stoel heen en weer, peilde de gezichten om zich heen. Mama had gelijk, niemand uit zijn klas las de krant. Ze wisten van niks. Hij keek nog eens. Joris keek terug en gaf een knipoog. Langzaam gleed de spanning van zijn schouders.

Het laatste uur hadden ze mevrouw De Bonth, hun mentrix. 'Laat je boeken maar dicht,' zei ze, 'we gaan vandaag de kerstbrunch bespreken. Wie heeft er ideeën?'

Max keek om zich heen. Aan de vingers in de lucht te zien waren er ideeën genoeg. Iedereen riep door elkaar, met de vingers omhoog. Kerstbrood. Kaarsen. Soep. Kerstliedjes. Saucijzenbroodjes. Muziek. Kerstkransjes. Kerstversiering. Dennentakken.

Mevrouw De Bonth stond voor het bord en schreef alles op, in handige rijtjes onder elkaar. 'We hebben dus vier groepen, zoals je ziet,' wees ze. 'Warm eten, koud eten, kerstversiering en kerstmuziek. Mijn vraag aan jullie is: wie wil wat doen? Overleg even met elkaar.'

Max keek over zijn schouder naar Joris.

'Doe je mee?' vroeg Joris.

Max knikte. Zonder vragen wist hij dat Joris de kerstversiering bedoelde. Zijn vader had een tuincentrum aan de rand van de stad, waar Joris vaak meehielp.

Max leunde achterover tegen de muur en keek de klas rond. Iedereen liep en praatte door elkaar. Lisa was al met Aziz aan het bekvechten over wat er in de soep moest. Maryse had Rosa's arm vast en wenkte. Bedoelde ze hem? Hij wees naar zichzelf. Ze knikte. Hij schudde zijn hoofd en stond op. 'Ik zit al bij Joris,' riep hij. En om te laten zien dat dat echt zo was, liep hij naar de tafel waar Joris zat.

'Zijn jullie eruit?' vroeg mevrouw De Bonth.

'Ja,' riep de klas in koor.

'Nee,' klonk het heftig. Dat was Maryse.

'Nee?' herhaalde mevrouw De Bonth. 'Wat is het probleem?'

'We hebben een muziekgroep zonder slagwerk,' klaagde Maryse. 'Rosa zegt dat Max kan drummen, maar Max zit al bij Joris zijn groepje, voor de kerstversiering.'

Max voelde alle ogen op zich gericht. Hij hield er niet van om in de belangstelling te staan, zeker vandaag niet, en kreeg er een kleur van.

'Max?' vroeg mevrouw De Bonth. 'Wat denk jij ervan?'

Max haalde zijn schouders op. 'Het maakt mij niet uit.'

'Echt niet?' Mevrouw De Bonth keek hem onderzoekend aan. 'En Joris, kan jouw groep Max missen?'

'Eigenlijk niet, maar als Maryse het heel lief vraagt…'

'Please,' smeekte Maryse met een gezicht alsof haar leven ervan afhing.

'Nou, vooruit dan.' Joris trok een grote, geblokte zakdoek uit zijn zak en droogde zijn denkbeeldige tranen. 'Max, man, ik zal je missen.'

Maar Max werd al weggetrokken door Maryse. 'We moeten eerst afspreken wat we gaan spelen, want Fatima is onze zangeres en zij kent niet alle kerstliedjes.'

'Ik heb wel een boek waar de teksten bij staan,' zei Rosa, die saxofoon speelde.

'Ik niet,' zei Lennart, 'ik speel alles uit mijn hoofd.'

Max was benieuwd. 'Wat speel je dan?'

'Gitaar.'

'Zullen we morgenavond afspreken?' riep Maryse. 'Om acht uur bij mij thuis. Dan zoeken we ons repertoire uit. Ik heb een pianoboek met kerstliedjes.'

Max schrok. 'Wacht even. Ik heb geen drumstel.'

Verbaasd keek Maryse hem aan. 'We gaan nog niet oefenen. Dat doen we hier op school. Op het podium in de aula staan een drumstel en een piano.'

Alsof hij dat niet wist. Hij had wel gezien hoe ze keek. Hij zag haar denken: een drummer zonder drumstel, kan dat? Maar hij redde zich best op het drumstel van de school. Het was niet zo uitgebreid als dat van opa, maar dat maakte hem niets uit.

Toen ze naar huis fietsten begon ze erover, vlak voor ze afsloeg. 'Je kunt toch wel echt drummen?'

Hij knikte. 'Ik heb hier toch al eens gedrumd, met muziekles.'

'Dat was ik vergeten,' zei ze. 'Ik zie je morgen, ik bel nog wel.'

6

Diep in gedachten reed hij verder. Hij had de twijfel in haar stem heus wel gehoord. Natuurlijk kon hij drummen. Opa had het hem zelf geleerd. Opa Trom was een echte, oude rocker. Je zou het niet zeggen als je hem nu zag, met zijn bolle buikje, zijn hangsnor en zijn wapperende, grijze haren. Toch was opa drummer geweest bij de Fireballs, een ruige rockband. Het was echt waar, Max had de foto's zelf gezien. Als opa achter zijn drumstel kroop veranderde de muziek in een denderende trein die je meesleurde, en die niet te stoppen was. Max kreeg er nog altijd kippenvel van. De laatste keer had hij bij opa op zolder een poster gevonden van de Fireballs, netjes opgerold in een koker. Die zou hij dolgraag willen hebben. Bijna had hij erom gevraagd, maar toen hij de kamer binnenkwam begon opa helemaal te stralen bij het zien van de verloren gewaande poster.

Boven, in een van de slaapkamers, stond nog steeds zijn drumstel met in flitsende letters 'Fireballs' erop. En daar had Max leren drummen. Op zondagen, wanneer ze met zijn vieren op bezoek gingen. Maar vooral als hij samen met mama en Tinka met de trein op en neer ging. Want dat was het leukste. Terwijl oma, mama en Tinka zaten te praten, zette opa boven een nummer op van zijn oude rockgroep, en dan mocht hij met opa mee drummen. Ze hadden zo veel plezier samen, daar durfde hij niet eens over te praten. Want hij had al van begin af aan gemerkt dat zijn vader het maar niks vond. Als ze dan 's avonds in het donker naar huis waren gereden – want ze moesten natuurlijk blijven eten van oma – was zijn vader begonnen. Max hoorde het op de achterbank, weggekropen in zijn donkere hoekje, naar buiten starend naar de maan die altijd met hen meereed, of ze nou links of rechts gingen. En altijd begon dat gemopper hetzelfde. 'Het zal je vader maar zijn, zo'n oude man die op trommels zit te meppen. Had hij zijn tijd maar beter gebruikt, dan had hij er misschien nog iets aan overgehouden. De flauwekul.'

Dat was dan meestal het moment dat Max zijn rug in de kussens drukte om zich schrap te zetten. Mama zei in het begin dan nog: 'Hij heeft toch altijd zo veel plezier beleefd aan drummen.'

Het antwoord van zijn vader kon Max dromen. 'Plezier? Plezier? Wat koop je daar nou voor?'

Vanaf de achterbank hoorde hij mama's antwoord. 'Samen muziek maken is toch leuk? Daar heeft hij zoveel vrienden aan overgehouden, ze zien elkaar nog altijd.'

En dan zijn vaders gebrom weer. 'Vrienden? Wat heb je nou aan vrienden? Als het er echt op aankomt, kun je alleen jezelf vertrouwen.'

Daarna kregen ze meestal ruzie, in het begin dan. Later niet meer. Dat kwam doordat mama dan niks meer zei. Ze liet het maar zo. Gelukkig. En ze gingen steeds minder vaak op zondag naar opa en oma Trom. Omdat zijn vader geen zin had. Maar in de schoolvakanties gingen mama en Tinka en hij gelukkig nog heel vaak naar hen toe. En dan drumden opa en hij de sterren van de hemel. Hij wist nog steeds niet wie het meest genoot, opa of hij.

Hij had er wel eens over gedacht om zelf een drumstel te

61

vragen, als zijn vader weer eens in zo'n royale bui was. Hij had het niet gedaan. De ene dag kon alles, de andere dag was alles te veel. Er was nog een andere reden waarom hij nooit iets aan zijn vader had gevraagd. Zijn vader ging steeds rotter doen tegen mama, kon zijn handen niet meer thuishouden. Als hij zo'n duur drumstel van zijn vader kreeg, dan leek het net alsof hij voor papa was, en tegen mama. Eerst was hij voor niemand, of voor allebei, maar sinds zijn vader zo gemeen deed, stond hij aan mama's kant. Hij had het alleen nooit durven zeggen.

Hij kneep in zijn remmen. 'Sukkel,' mompelde hij tegen zichzelf, want door al die gedachten had hij de bocht naar het winkelcentrum gemist en was rechtdoor gereden. Maar als hij nu linksaf ging, na het centrum, kwam hij er ook.

Hij keek over zijn schouder en sloeg links af het straatje in van zijn oude school, Tinka's school. Hij voelde opeens hoe moe hij was. Dat kwam natuurlijk doordat hij veel te weinig geslapen had in het weekend. En door de spanning van vandaag. Hij had er als een berg tegen opgezien om naar school te gaan, en stond strak als een elastiek om de pakjes van de postbode. En nu, nu de schooldag erop zat, was hij kapot. Leeg. Doodmoe. Hij fietste ook niet hard meer, dat laatste stukje, gooide zijn hoofd achterover en blies langzaam zijn adem uit.

Opeens zag hij Tinka. Ze zat op het muurtje voor de school, helemaal in elkaar gedoken, en huilde met schokkende schouders. Hij schrok zich rot, stampte op de pedalen, smeet zijn fiets op de grond en sloeg zijn armen om haar heen.

'Hela, Tink, wat is er?'

Tinka gierde en snotterde.

'Tinkie, wat is er met je aan de hand?'

Tinka haalde haar neus op. 'Ze hebben me uitgescholden.'

'Wie?'

Ze schokte met haar schouders. 'Maartje en de rest.'

Hij schrok. 'Maar waarom dan, Tink?'

Nu gierde ze het opnieuw uit. 'Om papa!'

'Papa?' Hij dacht hardop na. 'Daar weten ze toch niks van?'

Tinka huilde nog harder. Ze snotterde en wreef over haar gezicht. 'Maartje weet het.'

'Weet Maartje het? Hoezo?'

'Ik heb het haar verteld.'

Max boog zijn hoofd. 'Het was toch ons geheim?'

Tinka haalde haar neus op. 'Dat zei ik ook.'

'Wat zei je dan?' schrok Max.

'Ik zei: ik heb een geheim. En toen zei Maartje: vriendin-nen hebben geen geheimen. En toen… toen heb ik verteld dat papa in de gevangenis zit. En dat dat ons geheim is.'

Max hield zijn adem in. 'En toen?'

Tinka snakte bibberend naar lucht. 'Toen de school uit was, stonden ze me op te wachten en riepen: "Jouw papa is een boef!"'

Max balde zijn vuisten. Stomme Maartje! Stomme, stom-me papa!

Tinka begon opnieuw te schokken.

Max sloeg zijn arm om haar schouder. 'Kom op, Tink. Niet zo huilen. Geheimpjes moet je nooit verder vertellen, want dan zijn ze niet meer geheim. Zul je dat heel goed ont-houden?'

Tinka keek hem aan, met tranen in haar ogen en tranen op haar wangen. Zelfs haar jas was nat. Ze knikte. 'En nou?'

Tja, dacht Max, en nou? Nou is het te laat, ze weten het.

Nou zou je een mol moeten zijn en onder de grond kunnen leven. Of een eekhoorn, aan het begin van een lange winterslaap.

Tinka stootte hem aan, ze keek naar hem op. 'En nou?'

'En nou gaan we naar huis,' bedacht hij. 'Lekker naar mama en naar de kerstboom.'

Hij raapte zijn fiets op en liep met haar mee, van buiten rustig, maar van binnen woest. Omdat ze Tinka uitgescholden hadden. Maar ook omdat ze het nu wisten. Juist nu het op school zo goed was gegaan. Hoe zou dat aflopen?

Hij zette zijn fiets weg, iets harder dan normaal, en trok de keukendeur open.

Wat was híér aan de hand? Hij zag een cake, kerstkransjes, rookworsten, spek, boerenkool... Vanuit de kamer klonken stemmen.

'Opa en oma Trom!' riep Tinka. Meteen was ze haar verdriet vergeten en ze rende de kamer in. 'Wij komen jouw mooie kerstboom bewonderen,' hoorde hij oma zeggen.

Max bleef even staan, met de klink in zijn hand. Met zijn andere hand wreef hij door zijn vochtige ogen. Hij kon niks meer hebben. Als mensen lelijk deden was hij van slag, maar als ze lief waren kon hij wel janken. Wat een miep was hij toch. Maar het was ook heel bijzonder dat opa en oma Trom gekomen waren. Ze kwamen al jaren niet meer. Ooit hadden ze onverwachts voor de deur gestaan, omdat ze toch in de buurt waren. Toen hadden ze mama gezien, met een opgezwollen oog en blauwe plekken. Hoe het precies gegaan was kon Max zich niet meer herinneren. Maar hij wist nog wel wat opa had gezegd: 'Een man die zijn vrouw slaat deugt niet. Zolang jij je handen niet thuishoudt, zet ik hier geen voet meer binnen.'

En nou waren ze gekomen, juist vandaag, met tassen vol boodschappen.

Max trok de koelkast open. Hij zag cola, sinaasappelsap, een hele kip, chocoladepudding, en zelfs een flesje wijn voor mama. Hij ging ze zoenen, nou meteen.

Opa en oma bleven eten. Het was opeens zo gezellig aan tafel. En het eten was zo lekker, boerenkool met spekjes en worst.

Max moest opa nog iets vertellen. 'Opa, weet je dat ik op school mag drummen met Kerstmis?'

Verrast keek opa op. 'Welke nummers?'

'Dat zoeken we morgenavond uit, bij een klasgenootje.' Dat was waar ook, Maryse zou nog bellen, maar hij had zijn telefoon uitgeschakeld.

'Mogen we komen luisteren?' vroeg opa.

Max schudde zijn hoofd. 'Het is alleen voor de brugklassen.'

'Dat vind ik nou echt jammer,' zei opa.

Het zou wel leuk zijn als opa kwam luisteren. Misschien konden ze volgend jaar een kerstconcert organiseren, in plaats van een brunch. Dat was zo'n gek idee nog niet.

Na het eten namen opa en oma afscheid. Max liep mee naar hun auto om hen uit te zwaaien. 'Jammer dat jullie al weg moeten,' vond hij.

'Met Kerstmis komen jullie lekker bij ons logeren,' beloofde oma. 'Dan kun je weer een stevig potje drummen met opa.'

Geschrokken bleef opa staan. 'Drummen? Goed dat je het zegt, anders was ik het vergeten.' Hij gaf een knipoog naar oma – Max zag het wel – en opende de kofferbak van de auto. 'Hier, dit is voor jou. Maar voorzichtig, want het is breekbaar.' Hij duwde Max een groot, plat pak in de handen, stapte in en startte de auto.

Max keek de rode achterlichtjes na en kon niet eens zwaaien met zijn handen vol. Binnen legde hij het pak voorzichtig op tafel en scheurde het papier eraf. Voor hem lag de ingelijste poster van de Fireballs en opa was niet eens meer in de buurt om plat geknuffeld te worden.

Zijn moeder had nieuwsgierig meegekeken over zijn schouder. 'Dit is wel heel speciaal,' vond ze.

'Dit is helemaal te gek. Ik moet opa bellen om hem te bedanken,' zei Max en hij hoorde hoe zijn stem trilde. 'Heb jij zijn mobiele nummer? Hij is nog onderweg.'

Het werd een kort telefoongesprek. Ze begrepen elkaar zonder veel woorden.

Voorzichtig bracht Max de poster naar zijn kamer. Hij wist al waar de lijst moest hangen: boven zijn bureau, dat was de beste plek. Maar daar had hij wel een flinke spijker voor nodig. Morgen zou hij even in het schuurtje kijken. Eerst moest hij maar eens aan zijn huiswerk beginnen.

Terwijl hij naar beneden liep om zijn rugzak te halen dacht hij opeens aan Tinka. Hij moest mama nog vertellen wat er was gebeurd met Maartje.

'Maartjes moeder belde al, nog voordat jullie thuiskwamen,' zei mama. 'Maartje had thuis verteld dat papa… wat er met papa aan de hand was. Zo kwam haar moeder erachter dat ze Tinka uitgescholden hadden. Maar het is allemaal opgelost. Maartje heeft er spijt van en ze zijn weer dikke vriendinnen.'

'En de andere kinderen?' vroeg Max.

Mama haalde haar schouders op. 'Als ze niet ophouden moet ik maar met de juf gaan praten. Er komt vast wel een oplossing.'

'Dat hoop ik,' zei Max. Hij pakte zijn rugzak en liep de trap op.

Toen hij bijna boven was ging de bel. Hij draaide zich om. Zou hij opendoen? Beneden hoorde hij de kamerdeur en Tinka's vlugge voetjes in de gang. Daarna mama's stem vanuit de keuken: 'Tinka, wacht. Ik doe wel open.'

'Ik was eerst,' riep Tinka en met een zwaai trok ze de voordeur open.

'Dag kleine meid, mag ik even binnenkomen?' vroeg een mannenstem.

Gespannen bleef Max staan. Meteen hoorde hij mama's haastige stappen op de tegelvloer. 'Kom, Tinka, gauw naar de kamer.'

Terwijl Tinka naar de kamer liep klonk de mannenstem opnieuw. 'Dag mevrouw, ik kom namens uw gasleverancier. Mag ik even binnenkomen om de meterstand op te nemen?'

Max ontspande zich. De man van de gasmeter, niks aan de hand. Hij draaide zich weer om en wilde verder lopen.

Mama's stem klonk anders toen ze zei: 'Ik heb de meterstand al per computer doorgegeven.'

Opnieuw bleef Max staan en luisterde.

'Dat klopt, mevrouw, maar wij voeren steekproeven uit. Het zou toch heel vervelend zijn als u volgend jaar een gigantische gasrekening krijgt vanwege een klein foutje in de meterstand?'

Het bleef even stil. Toen klonk mama's stem, aarzelend: 'Hebt u een legitimatiebewijs?'

Max hoorde geritsel van stof.

'Dat is me nog nooit gebeurd,' zei de stem. 'Ik heb mijn legitimatie altijd bij me. Hoe kan dat nou? Ik snap er niks van. Zou die nog thuis op tafel liggen? Daar kan ik toch moeilijk voor op en neer rijden. Trouwens, wat ik nog vergat te melden: als u meewerkt aan de steekproef controleer ik gratis de gasleidingen van boven tot beneden. Uw hele huis weer veilig, service van uw gasbedrijf.'

Wat was dat voor man? Geruisloos zette Max zijn rugzak een treetje hoger. Hij zakte op zijn hurken, boog voorover en gluurde naar beneden. Op de drempel zag hij een paar spierwitte sportschoenen met rode veters en twee blauwe, flodderige broekspijpen. Meteen deinsde hij achteruit. Dat was de man van de witte deur! Hij moest mama waarschuwen. Ze mocht hem in geen geval binnenlaten. Maar hoe kon hij haar aandacht trekken zonder dat de man het merkte? Hij dacht na en kwam muisstil overeind. Toen hoorde hij mama. 'Sorry, ik krijg zo meteen een huis vol visite, dus het komt erg ongelegen.'

'Een andere keer misschien, ik kan een afspr…'

De rest van wat de man zei ging verloren in de klap waarmee mama de voordeur dichtsloeg.

Met grote sprongen kwam Max de trap af. Mama had zich omgedraaid en stond met haar rug tegen de deur, alsof ze die zo tegen wilde houden.

'Die man was niet van het gasbedrijf,' fluisterde Max, voor het geval dat de man nog achter de deur luisterde.

'Pffff…' blies mama. 'Dat zag ik ook wel. Hij kon zich niet eens legitimeren. En dan dat trainingspak… Ik sta te trillen op mijn benen.'

'Net als ik,' zei Max. 'Maar ik kon zijn gezicht niet zien, hoe zag hij eruit?' Hij vroeg het voor de zekerheid.

Mama kneep even haar ogen dicht. 'Niet zo fris, een grauw gezicht met kolossale wallen onder de ogen.'

Max knikte. 'Had hij een staart op zijn rug?'

Oplettend keek mama hem aan. 'Ik zag alleen zijn voor-kant. Maar zeg eens, ken jij die man?'

'Ik heb hem een keer gezien, papa kent hem. Volgens mij probeerde hij gewoon met een smoes binnen te komen. Maar waarom?'

'Om de gasleidingen te controleren,' zei mama spottend. 'Maar intussen…'

Max dacht na. 'Er moet iets zijn. Maar wat? Als ik dat maar eens wist.'

'Als hij papa kent lijkt het me beter de politie in te lich-ten,' zei mama. 'Ik krijg liever geen vrienden van papa op bezoek.'

O ja, bezoek. Opeens dacht Max er weer aan, er kwam nog visite. Hij was benieuwd wie. 'Wie komen er zo met-een?'

Mama keek hem met grote ogen aan. 'Waar heb je het over?'

'Je zei tegen die man dat je een huis vol visite kreeg.'

Ze bloosde. 'Ik dacht dat hij dan wel weg zou gaan.'

'Aha, smoesjes,' plaagde Max.

'Het hielp wel, hij ging toch?' verdedigde mama zich.

'Ja, omdat jij hem bijna tussen de deur plette. Hij kon nog net op tijd wegspringen,' schaterde Max. 'Pas maar op, an-ders sta jij ook nog in de krant: Vrouw verplettert man tus-sen deur. Foei!' Hij hikte van het lachen en greep zich aan de radiator vast om niet om te vallen.

Mama lag dubbel, lachtranen rolden over haar gezicht. 'Ik zie het al voor me!'

Tinka kwam op het kabaal af, ze keek met grote ogen van mama naar Max. 'Wat hebben jullie?'

'Wij?' hikte Max. 'Wij... wij hebben... hihihi... de slappe lach. Doe... doe je mee?'

Hij snoot zijn neus en droogde zijn lachtranen. Waar was hij ook al weer mee bezig? O ja, hij zou huiswerk maken.

Langzaam, met af en toe nog een lachstuip, liep hij naar boven. Onderweg kwam hij zijn rugzak tegen. Ze hadden niet veel op gekregen en dat kwam mooi uit. Hij had er ook niet veel zin in. Om precies te zijn: helemaal geen zin. Maar in het weekend was er van huiswerk helemaal niks gekomen.

Hij knipte zijn bureaulamp aan en pakte zijn agenda. Een oefening voor Engels, woordjes invullen. Dat was te doen. Hij zette zijn telefoontje aan. Toen hij zijn pen pakte, werd er al gebeld. Call, las hij. Maryse natuurlijk, dat had ze beloofd. Hij nam op. Zijn stem klonk vrolijk. 'Hi, met mij.'

'Ha Max. Met papa.'

Hij schrok zo gruwelijk dat hij per ongeluk de uittoets indrukte. En daar schrok hij eigenlijk nog meer van. Hij had zijn vader weggedrukt. Wat nu? Ontdaan keek hij naar het mobieltje en zag dat zijn handen trilden. Hij greep zijn stoel vast. Er werd opnieuw gebeld. Hij nam op. 'Hallo?' Zijn stem deed het niet, hij probeerde het nog een keer. 'Hallo?'

'Max? Wat was dat?'

'Ik drukte per ongeluk op de verkeerde knop.' Max zweeg, hoorde zijn adem blazen tegen de telefoon.

'Wat sta je te hijgen?'

Max probeerde zijn adem onder controle te krijgen. 'Ben je... ben je weer vrij?'

Zijn vader lachte, maar het klonk niet vrolijk. Hij leek helemaal niet meer die stoere vader die alles beter wist. 'Nee, jongen, het duurt hier allemaal een eeuwigheid. Ambtenaren, hè. De zaak is nog in onderzoek en intussen mag ik met niemand praten. En ook niet bellen. Maar ach, je moet de juiste mensen kennen, dan valt er nog een hoop te ritselen. Netwerken, joh, daar draait het om.'

Max kreeg zijn adem onder controle. Dit was de vader die hij kende, stoer en patserig. Vreemd genoeg werd hij er rustig van.

'Max? Hallo? Ben je er nog?'

'Ja.'

'Ik hoorde dat de politie bij jullie is geweest.'

Max hield zijn adem in. Zou papa gaan zeggen dat het hem speet? Dat hij het erg vond dat ze midden in de nacht de schrik van hun leven hadden gekregen? Dat het nooit zijn bedoeling was geweest om…

'Max, weet je of ze iets gevonden hebben?'

Een akelig gevoel bekroop Max. Hier wilde hij niks mee te maken hebben. Dat moest hij zeggen, nu meteen. Aarzelend begon hij: 'Ik… ik, eh…' Hij kon het niet, echt niet. 'Mijn batterij is leeg, ik val zo weg.' In smoezen was hij beter.

'Denk goed na, Max, heb je iets gez…'

Max drukte op de rode knop en schakelde snel het toestel uit. Het trillen begon weer, erger nog dan straks. Hij vouwde zijn armen strak over elkaar, stopte zijn handen onder zijn oksels, en leunde voorover. In het licht van de bureaulamp wiegde hij heen en weer. Het was hem gelukt, hij had het gesprek afgekapt. Was het hem echt gelukt? Hij had niet hardop tegen zijn vader durven zeggen wat hij ervan vond, zo'n held was hij nou ook weer niet. Konden losers ooit helden worden? Hij slikte. Als zijn vader nou gezegd had dat hij spijt had, of dat hij het erg vond voor hen… Dan had hij het gesprek misschien niet afgebroken. Maar zoals het nu ging…

71

Iets klopte er niet. Zijn vader had helemaal niet gebeld omdat hij spijt had. Hij wilde blijkbaar iets weten, iets wat belangrijk voor hem was. Iets wat Max gezien kon hebben.

Max sprong op, balde zijn vuisten en drukte ze tegen zijn mond. Zo stond hij een poosje, met zijn ogen dicht. Toen hij weer op zijn bureaustoel kroop zag hij de foto. Opnieuw balde hij zijn vuisten. 'Weet je hoe het voelt, pap, als je midden in de nacht vastgebonden wordt op je stoel, in je eigen kamer nog wel? Weet je wat je kunt zien als je daar zit met een zak over je kop? Kan het je eigenlijk wel iets schelen?'

Nee, Max wist het opeens heel zeker. Hij dacht aan dat gesprek, dat hij per ongeluk had gehoord. Hoe lang was dat geleden, een maand of twee, drie? Hij zat nog maar net in de brugklas en was eerder thuisgekomen, omdat de laatste twee lessen uitvielen. Boven had hij zijn vader horen schreeuwen. 'Heb je het nou nog niet geleerd? Je bent wel erg traag van begrip, nog dommer dan ik dacht. Er stilletjes met de kinderen vandoor gaan zeker? Ik zeg het nog één keer, dus knoop het maar goed in je oren: je bent nergens veilig. Ik weet je te vinden! Dus pak die koffers maar gauw weer uit.'

Max had maar een paar seconden in de keuken gestaan. Hij had zich omgedraaid, zijn fiets gepakt en was ervandoor gegaan. In het wilde weg reed hij rond, tot hij bedacht dat hij maar beter in de buurt kon blijven. Niet dat hij iets kon doen, of dat het hielp als hij er was, maar toch...

Toen hij terugkwam zag hij nog net zijn vaders auto de straat uitrijden. Gelukkig, die was weg. Hij begon harder te trappen. Als alles maar goed was met mama. Hij smeet zijn fiets tegen de muur, rende de keuken in. 'Mam!' Ze was boven. Toen hij de trap opliep zag hij nog net dat ze haar koffer teruglegde op de linnenkast. 'Wat ben je vroeg,' zei ze. Hij had geknikt en maar niet verteld dat hij eigenlijk nog vroeger uit was.

Max leunde op zijn bureau en dacht na. Wat moest hij nou met dat telefoontje van papa? Hij zou het maar niet tegen mama zeggen.

7

Maryse stond er niet toen hij de volgende morgen de bocht uitkwam. Hij wachtte op zijn fiets, met één been op de stoep-rand en het andere op de trapper. Misschien was hij iets te vroeg? Of was zij laat? Hij wist het niet, had geen horloge om. Op zijn telefoon zou hij kunnen zien hoe laat het was, maar die lag thuis. Hij had haar nog wel gebeld gisteravond, maar ze nam niet op. Zou er iets zijn?

Hij tuurde in de verte, en wiebelde van zijn ene been op het andere. Ze moest nu toch wel heel snel komen, anders kwam hij te laat. Misschien probeerde ze hem wel te bellen. Hij zuchtte. Wat kon er met Maryse zijn? Hij had geen idee, maar wist alleen dat hij niet langer kon wachten.

Met een rotvaart kwam hij bij de rotonde aan. Joris was maar op zijn bagagedrager gaan zitten en Rosa hing uitge-breid over haar fiets, alsof ze al uren wachtte. Maar zodra ze Max zagen kwamen ze in beweging.

'Waar bleef je nou?' vroeg Joris, terwijl hij vaart maakte.

'Ik stond op Maryse te wachten.'

Achter hem klonk de stem van Rosa. 'Maryse? Moest die niet naar de tandarts?'

Naar de tandarts? Dan zou ze dat wel gezegd hebben. Ze wist toch dat hij wachtte. Waarom zou Rosa dat wel weten en hij niet? Zijn hart bonkte. Kwam dat door het racen, of was het omdat hij zich opeens erg ongerust maakte?

Toen hij de fietsenstalling indraaide, klonk de zoemer. Hij

was al zo laat, en nou moest hij ook nog helemaal achterin een plekje zoeken. Terwijl hij zijn fiets wegzette, zag hij een auto stoppen. Er stopten wel meer auto's voor de school, maar deze ene viel hem speciaal op. Een zilverkleurige cabrio. Maryse stapte uit. Hij ving nog net een glimp op van de blonde vrouw achter het stuur. Dat was zeker haar moeder. Opeens snapte hij het. Maryse was naar de tandarts geweest en nu werd ze met de auto naar school gebracht, zodat ze nog net op tijd was. Als hij opschoot, kon hij samen met haar naar binnen, even vragen hoe het was. Hij zette zijn fiets op slot. Toen hij opkeek, zag hij nog net haar roze jack door de schuifdeuren verdwijnen. Wat een haast. Zou er toch iets zijn?

Joris trok aan zijn mouw. 'Schiet op, joh.' Met zijn drieën sprintten ze de trap op, de lange gang door naar de lokalen. De meeste deuren zaten al dicht, maar die van hen stond gelukkig nog open. Bij zijn stoel aarzelde hij. Maryse zat al over haar boek gebogen. Zou hij even naar haar toe gaan? Te laat. Meneer Van de Wal kwam binnen. Max keek nog snel op zijn rooster. Na Nederlands hadden ze wiskunde, het derde uur kregen ze Engels. Dan kon hij in de pauze nog snel die paar woorden invullen. Dat was er gisteren niet meer van gekomen na het telefoontje van zijn vader. Hij sloeg zijn tekstboek open, Wiebe was al aan het lezen. Ze hadden de tekst thuis moeten voorbereiden, maar ook daar was hij niet aan toegekomen.

Max zuchtte. Zijn ogen gleden van de regels naar Maryse. Ze was nog steeds verdiept in haar boek. Hij leunde met zijn hoofd op zijn hand, terwijl zijn vingers een krul draaiden in een pluk haar. Vanuit de verte hoorde hij Wiebe lezen. Waarom keek ze nou niet even om? Hij kuchte met nadruk, misschien viel dat op. Inderdaad, hij trok aandacht.

'Max, lees jij verder.' Meneer Van de Wal klonk streng.

Waar waren ze gebleven? Pijlsnel gleed Max langs de regels, tot aan het woord dat hij het laatst gehoord had. Aarzelend begon hij te lezen. Hij zat blijkbaar goed, want commentaar bleef uit.

In de pauze zocht hij een rustig hoekje op om de opdracht in zijn werkboek te maken. Binnen tien minuten was hij klaar. Dat moest ook wel, want de pauze duurde niet langer. Hij liet zich door de grote stroom scholieren meenemen naar binnen, en keek intussen uit naar Maryse. Ze was nergens te zien. Misschien zat ze al in de klas.

Toen hij binnenkwam was haar stoel nog leeg. Pas op het laatste nippertje glipte ze de klas in, te laat om nog een woord te wisselen. Max voelde zich steeds minder op zijn gemak. Het was toch raar dat ze de hele dag nog niets tegen elkaar gezegd hadden. Hij zuchtte, dook in zijn rugzak en haalde zijn spullen tevoorschijn. Tekstboek, werkboek, schrift en agenda. Toen hij weer opdook met zijn etui zag hij opeens het briefje op zijn schrift liggen. Het leek haast een propje, zo klein was het opgevouwen. Waar kwam dat zo gauw vandaan? Hij legde zijn hand erop en keek naar de gezichten om zich heen. Van wie was het briefje? Niemand reageerde. Hij keek voor zich. Mevrouw De Bonth schreef iets op het bord. Terwijl zijn vingers het briefje open peuterden, bleef hij strak naar haar rug kijken. Hij gluurde in het halfopen briefje en kneep het van schrik weer dicht. Ze wist het! O, wat een ellende. Hij was er zo bang voor geweest, en nu was het toch gebeurd. Met zijn arm op tafel, om het briefje uit het zicht te houden, las hij opnieuw.

Lieve Max,
Ik hoorde mijn ouders praten over je vader.
Ik kon het niet geloven, maar het stond in de krant, zeiden ze.
Ze vonden het heel erg voor jou. En ik ook. Sterkte.
XXX

Hij liet zijn hoofd tussen zijn schouders zakken. Ze wist het! En het maakte haar niets uit. Dit had hij niet durven dromen, hij werd er helemaal warm van. De dag zag er opeens veel zonniger uit, ook al bleven die grijze wolken voor het raam hangen. Hij kneep het briefje fijn in zijn hand. Wat lief van haar, vooral omdat ze elkaar de hele dag nog niet gesproken hadden. Of misschien wel juist omdat ze elkaar steeds misliepen. Maar straks, in de pauze…

'Max, schrijf jij de volgende zin op?' Mevrouw De Bonth stond voor het bord met een krijtje in haar hand.

Hij sprong op en greep zijn werkboek. Waar waren ze intussen gebleven? Er stonden al twee zinnen op het bord. Hij nam het krijtje aan, schreef de derde zin op en wilde weer gaan zitten. Maar mevrouw De Bonth hield hem tegen, ze gaf er nog uitleg bij. Al die tijd stond hij daar, nog geen meter van de tafel van Maryse. En hij durfde haar niet aan te kijken. Pas toen hij weer op zijn plaats zat keek hij. Maar ze keek niet om.

Toen de tweede pauze begon, was Maryse als eerste de klas uit. Max haastte zich de gang op, maar hij zag haar nergens. Buiten bij het muurtje, waar ze meestal met een vast groepje rondhingen, was ze ook niet. Hij begreep er niks van en draaide zijn nek haast in een spiraal op zoek naar haar. Toen hield hij het niet langer uit, hij ging een rondje lopen over het plein. Joris liep mee.

'Wat gaan jullie doen?' riep Rosa.

Max keek achterom. 'Een rondje lopen.'

Rosa ging ook mee.

Max liep kriskras over het plein, keek links en rechts, maar nergens zag hij Maryse. Ten slotte bleef hij staan. Joris en Rosa stopten ook, het leken zijn lijfwachten wel. Hij keek van de een naar de ander. 'Hebben jullie een idee waar Maryse kan zijn? Ze lijkt wel spoorloos.'

Joris haalde zijn schouders op en schudde zijn hoofd.

Rosa trok een diepe rimpel boven haar neus. Hij zag haar denken. 'Zou ze soms naar het muzieklokaal zijn om bladmuziek te zoeken, voor vanavond?' bedacht ze. 'Ik zie Fatima ook nergens, misschien zijn ze samen.'

Joris tikte op haar arm en wees naar het hek, waar Fatima stond.

Nu zag Rosa het ook. 'Dan is ze misschien in haar eentje naar het muzieklokaal.'

Max hoorde de twijfel in haar stem. 'Ik snap er niks van,' zei hij, meer tegen zichzelf dan tegen de anderen. 'Wat zou er toch zijn?'

Joris keek van Rosa naar hem. 'Ze doet wel een beetje vreemd vandaag. In de vorige pauze was ze ook al ergens anders.'

Zie je wel, het was Joris ook al opgevallen. Max zuchtte. Het was vervelend, juist nu hij haar wilde zeggen hoe blij hij met haar briefje was. Misschien had het toch iets met de tandarts te maken. Of met de kerstmuziek voor vanavond.

De zoemer ging. Hij haastte zich niet en schuifelde achter de groep aan naar binnen. Zijn vermoeden bleek juist te zijn: ze zat al op haar plaats. Hij keek haar nadrukkelijk aan, maar ze keek niet terug. Het laatste restje dat nog over was van zijn zonnige gevoel, verdween. Onzeker sleepte hij zich door het laatste, eindeloze uur heen, tot de zoemer er toch nog een eind aan maakte. Hij treuzelde bij het inpakken van zijn rugzak en gluurde haar kant uit. Razendsnel schoof ze haar boeken in haar roze tas en stoof de klas uit.

Hij slenterde naar de kluisjes, pakte zijn jack en draaide zich om. Daar stond ze, als uit het niets opgedoken, met haar roze wangen en haar roze lippen. Alleen haar ogen stonden anders, strak en hard. Zo kende hij haar niet.

'Het oefenen gaat vanavond niet door,' zei ze. Toen draaide ze zich om en liep weg.

Hij was te verbaasd om iets te zeggen. Door de hoge ramen keek hij haar na. Hij volgde haar met zijn ogen toen ze over het schoolplein trippelde, in het cabriootje stapte en verdween.

Toen hij de fietsenstalling uitkwam, stonden Joris en Rosa al te wachten.

'Ik rij maar een klein stukje mee,' zei Joris. 'Ik heb met mijn broer afgesproken in de stad. We gaan een verjaardagscadeautje kopen voor mijn moeder.'

Ze reden met zijn drieën naast elkaar op het brede fietspad. Er hing een dichte mist. Normaal zag je altijd de grote, grijze kathedraal boven alles uittorenen. Vandaag leek het alsof die uitgegumd was. Weg, helemaal verdwenen.

Ze wachtten bij de kruising tot het licht op groen sprong.

'Ik ben ervandoor,' zwaaide Joris. 'Tot morgen.' En hij ging rechtdoor, het centrum in.

Max en Rosa sloegen links af. Hier was het fietspad smaller. Ze reden een tijdlang zwijgend naast elkaar, terwijl de auto's hen rakelings passeerden.

'Wat was er toch met Maryse?' begon Rosa, nadat ze een rustiger straat insloegen.

Max haalde zijn schouders op. 'Ik weet het ook niet.'

Ze keek even opzij. 'O, ik dacht dat het aan was tussen jullie.'

'Dat dacht ik ook,' mompelde hij.

Ze boog naar hem toe. 'Wat zeg je?'

'Nou ja, niet officieel, hoor. We hebben geen verkering of zo. Ik dacht dat ze me leuk vond, maar na vandaag weet ik het ook niet meer.'

Max zweeg. Een tijdlang klonk alleen het schavende geluid van zijn trapper tegen de kettingkast, tot de rotonde opdoemde waar Rosa af moest slaan. Ze minderde vaart. 'Heb je mijn briefje gehad?'

Hij kneep in zijn remmen. 'Je briefje?' Was dat briefje van Rosa? Daar had hij geen moment aan gedacht, het overviel hem gewoon. Rosa wist het! Maar als Rosa het wist, wie wisten het dan nog meer? Hij remde en stond stil.

Rosa stopte ook, iets verderop. Met haar benen aan weerskanten van de fiets liep ze met stijve stappen achteruit, tot ze naast hem stond. 'Wist je niet dat dat briefje van mij kwam?'

Hij schudde zijn hoofd. 'Er stond toch geen naam onder?'

Ze haalde haar schouders op. 'Vergeten.'

'Geeft niet,' mompelde hij.

Als dat briefje van Rosa was, wist Maryse dus van niks. Of toch wel? Hij trok een diepe rimpel boven zijn neus.

Rosa tikte op zijn arm. 'Wat sta je nou te denken?'

Hij wilde het antwoord eigenlijk niet weten, toch vroeg hij het. 'Wie weten het nog meer, behalve jij?'

Ze keek op. 'Niemand, denk ik. Ik weet het niet zeker, maar ik heb er met niemand over gepraat. En ik heb er ook niks over gehoord.'

Hij draaide aan de dop van zijn fietsbel, die maar niet recht wilde zitten, en zuchtte. 'Ik ga maar weer eens verder.'

'Ja, ik ook. Sterkte,' zei Rosa.

Hij keek haar na, terwijl ze wegfietste. Ze wist het, en toch had ze dat lieve briefje geschreven. Dat had hij nooit verwacht.

Terwijl hij haar nakeek, draaide ze zich half om. 'Tot vanavond!' riep ze over haar schouder.

Hij stak zijn hand op. 'Het gaat niet door,' riep hij.

Ze gooide haar stuur om en kwam terug, staande op haar trappers. 'Wat zeg je?'

'Het gaat niet door.'

Ze sprong van haar fiets. 'Hoezo gaat het niet door? Ik weet van niks.'

'Maryse zei het, net voor we naar huis reden. Ik kwam haar tegen bij de kluisjes. Ze keek nogal… vinnig. Misschien is er iets.' Meteen was hij stil. Hij kon zichzelf wel voor zijn kop slaan. Wat een sukkel was hij toch. Natuurlijk was er iets. Maryse wist het! Daarom had ze hem de hele dag ontlopen, en deed ze zo kortaf. Hij kon wel door de grond zakken.

Rosa keek hem aan. 'Ik heb haar niet eens gesproken vandaag, ze was telkens weg. Maar als het niet doorgaat vanavond, had ze dat wel eens mogen zeggen. Weet je het zeker?'

Hij knikte. 'Ze zei het zelf.'

Rosa trok haar fiets op de stoep en parkeerde die tegen een lantaarnpaal. Ze ritste het voorvak van haar rugzak open en haalde haar mobiel tevoorschijn. 'Ik ga haar bellen. Weet jij haar nummer?'

Max schudde zijn hoofd, hij had zijn telefoon niet bij zich. Hij zette zachtjes zijn fiets aan de andere kant van de lantaarn en dacht na. Hij had liever niet dat Rosa belde, hij zag er als een berg tegen op. 'Bel maar niet. Misschien heb ik het verkeerd begrepen en is er niks aan de hand.' Dat zou het mooiste zijn, maar hij geloofde het zelf niet. Bij Rosa was zijn geheim veilig, zij kletste niet. Maar bij Maryse…

'Ik bel.' Rosa klonk vastbesloten. 'Ik ga toch zeker niet voor Jan met de korte achternaam naar het villapark fietsen. En ik wil weten wat er aan de hand is.' Ze dook opnieuw in haar rugzak en viste de telefoonlijst uit haar agenda. Toen toetste ze Maryses nummer in.

Met zijn handen in zijn zakken liep hij langs zijn fiets heen en weer. Hij liet zijn hoofd steeds dieper hangen, tot hij de rits van zijn jack tegen zijn kin voelde.

'Hi, Maryse. Met mij, Rosa. Even over vanavond: het gaat toch wel door?'

Max staarde strak naar een schroef in de lantaarnpaal en luisterde, maar het antwoord hoorde hij niet.

Rosa knikte. 'Dus het gaat wel door? O, dat is raar. Want ik kwam net Max tegen, en die zei dat het niet doorging. Dat had jij tegen hem gezegd.'

Nu bleef het heel lang stil. Zo lang, dat Max eindelijk opkeek van de schroef naar Rosa. Haar gezicht was wit en strak. Er leek geen eind te komen aan het verhaal van Maryse en al die tijd stond Rosa stil te luisteren, en Max stil te kijken.

'Oké,' zei Rosa eindelijk.

Max hoorde een piepje, het gesprek was afgelopen. Rosa stopte haar telefoon terug in het voorvak. Met allebei haar handen begon ze in haar rugzak te graaien.

'Wat is er?' vroeg Max.

'Ik kan mijn agenda niet vinden.'

'Dat bedoel ik niet.'

Rosa ging op de ijskoude stoep zitten en trok haar rugzak

met één hand tegen zich aan. Met de andere kneep ze de telefoonlijst tot een prop.

Hij hurkte naast haar neer. 'Wat is er?' vroeg hij opnieuw.

Ze stopte de prop in haar rugzak en woelde met haar vingers door haar haar. 'O, dat heb ik weer! Woest kan ik daar om worden.'

Hij keek naar haar en snapte er niks van. 'Waarom dan?'

Ze gaf een paar stompen tegen haar rugzak. 'Aan de telefoon stond ik met mijn mond vol tanden. En nou weet ik precies wat ik had willen zeggen. Maar nou is het te laat!'

Hij kneep zijn handen tot vuisten. 'Zeg nou eerst eens wat er is.'

Driftig ritste Rosa haar rugzak dicht. 'Het is belachelijk! Wat een loeder is die Maryse, achterlijk gewoon.' Ze hijgde van kwaadheid en keek hem aan. 'Maryse weet het, van je vader. Haar ouders vertelden het gisteravond.' Rosa deed het bekakte toontje van Maryse na. 'Ze weten niet of dit wel de geschikte school voor me is, als dat achterbuurtvolk zomaar toegelaten wordt.'

Max kromp in elkaar. Hij schaamde zich dood.

Rosa was niet meer te stoppen. Als een vuurspuwende berg ging ze tekeer, nog steeds met dat bekakte stemmetje. 'Max kan absoluut niet meedoen met het kerstconcert. Ik heb hem gezegd dat het niet doorgaat vanavond, maar dat geldt natuurlijk alleen voor hem, niet voor de anderen. Je denkt toch zeker niet dat mijn ouders zo'n crimineel in huis willen hebben. Mijn vader is orthodontist, hij moet zijn goede naam hooghouden. Voorlopig fiets ik ook niet meer mee naar school. Mijn moeder gaat morgen met de rector praten. Als er niets verandert ga ik na de kerstvakantie naar een betere school.'

Max was nu helemaal weggedoken in zijn kraag. Hou maar op, dacht hij. Ik weet genoeg. Meer dan genoeg. Met een beetje pech ben ik voor de kerst al van school af. Het drummen kon hij ook op zijn buik schrijven. Heel even had hij nog gedacht dat hij maar beter naar het groepje van Joris kon gaan. Maar dat had geen zin meer. Als ze zó begonnen.

'Tjongejonge, wat een sukkels! Wat een simpele zielen,' brieste Rosa. 'Ze doen net alsof je een besmettelijke ziekte hebt. Denken ze nou echt dat jij daar vanavond hun dure vleugel zou jatten? Dat je die stiekem in je binnenzak meeneemt? Het is toch om je rot te lachen, als het niet zo treurig was.'

Max keek op vanuit zijn kraag. Hij zag Rosa met haar armen zwaaien. 'Wat ga je doen?'

'Ik ga staan, voor ik diepvriesbillen krijg.' Ze kwam overeind en liep met haar rugzak naar haar fiets.

Max pakte zijn stuur, aan de andere kant van de lantaarnpaal. 'Nou, toch bedankt. Enne... tot morgen, denk ik.'

Verbaasd keek Rosa hem aan. Ze stond recht tegenover hem, alleen de lantaarn stond tussen hen in. 'Ga je al? Maar we moeten iets doen. We kunnen Maryse niet haar gang laten gaan. Dat pik je toch zeker niet?'

Dat klonk strijdlustig. Rosa had het toch niet goed begrepen. Ze dacht nog steeds dat er wat te redden viel. Hij haalde zijn schouders op. 'Alles is toch al verloren.'

Ze stak haar hoofd naar voren, tot voorbij de lantaarn. 'Hoezo verloren?'

Hij maakte rondjes met zijn voet en keek ernaar. 'Nou ja, dat met mijn vader...' Hij kon het woord gevangenis niet over zijn lippen krijgen. 'Dat is nou eenmaal gebeurd, dat kan ik niet meer veranderen.'

'Dat klopt,' knikte Rosa. 'Maar is dat jouw schuld?'

Hij schudde zijn hoofd.

'Nou, dan hoef je daar toch ook niet de schuld van te krijgen.'

Hij lachte, maar het klonk niet echt. 'Zo gaat dat wel, kijk maar naar Maryse en haar ouders. En ze is heus de enige niet, let maar op. Als je vader crimineel is, dan heb je zelf levenslang.'

Rosa boog haar hoofd. 'Sorry. Ik sta me hier alleen kwaad te maken om die stomme Maryse, terwijl jij je natuurlijk ellendig voelt. Het is ook hartstikke erg wat jij meemaakt, maar jij blijft toch gewoon… jij. Wat Maryse doet is niet eerlijk en daarom moeten wij iets doen.' Driftig slingerde ze haar rugzak om en greep haar fiets.

Hij schrok ervan. 'Je zegt het toch tegen niemand?'

'Dat kan ik niet beloven. Je moet me maar vertrouwen.' Ze sprong op haar fiets en reed weg. 'Je hoort nog van me,' riep ze, terwijl ze afsloeg.

Daar was hij al bang voor, maar erger dan het nu was kon het toch niet worden.

8

Toen hij thuiskwam uit school was er niemand. Hij riep onder aan de trap, maar kreeg geen antwoord. Zou mama weer aan het werk zijn? Ze had er niks over gezegd. Juist toen hij zich omdraaide ging de bel. Hij schrok van het geluid.

Een man in overall stond op de stoep. Hij zette zijn gereedschapskist neer en vroeg: 'Zal ik maar meteen beginnen?'

Max keek hem vragend aan. 'Waarmee?'

'Met de voordeur.'

Max aarzelde. Hij dacht aan de man die zogenaamd van het gasbedrijf kwam. Zouden ze nu een ander gestuurd hebben, met een ander smoesje om binnen te komen en te zoeken naar... Naar wat?

Vanuit de verte hoorde hij zijn naam. Hij zette een stap naar buiten en zag zijn moeder. Op een draf stak ze de straat over. 'Sorry, ik ben een beetje laat,' hijgde ze. 'Ik was even bij Tinka op school.'

'Kan ik beginnen?' vroeg de man weer.

Mama knikte en liep naar de kapstok om haar jas op te hangen.

De man timmerde er driftig op los.

'Wat gebeurt er?' vroeg Max.

'Er komt een ander slot op de deur,' zei mama.

Daar keek hij van op. Een ander slot, dus ook andere sleutels. Wat dapper van mama dat ze dat durfde. Dat had hij nooit van haar verwacht.

Mama trok hem mee de keuken in en deed de deur achter zich dicht, zodat de timmerman hen niet kon horen. 'De politie is vanmorgen langs geweest, om me op de hoogte te houden. Papa blijft voorlopig nog een hele poos in voorarrest.'

'Wat heeft dat met onze voordeur te maken?' Hij snapte het niet helemaal. Als papa in de gevangenis zat, kon hij toch niet langskomen? Meteen bedacht hij dat het wel raar was om zo over je eigen vader te denken.

Mama trok hem tegen zich aan. 'Ze zijn druk bezig met het onderzoek. Maar ze weten nu ook dat de kopstukken van die drugsbende nog vrij rondlopen, bij gebrek aan bewijs.'

Max keek op. 'De kopstukken? Je bedoelt de grote jongens?'

Mama knikte.

'Kent papa die dan?'

Mama haalde haar schouders op. 'Dat weet ik niet, ik heb echt geen idee. En ik kan het ook niet vragen, want zolang het onderzoek loopt, mag papa met niemand contact hebben.'

Max dacht aan het telefoontje. Zou hij het zeggen? Hij aarzelde. Nee, toch maar niet. Mama zou meteen weer ongerust worden. Hij snapte eigenlijk nog steeds niet goed waarom ze opeens een nieuw slot op de voordeur kregen. Of dachten ze soms dat... Hij schrok. 'Mam! Denkt de politie dat die criminelen bij ons komen?'

'Nee!' Ze zei het kortaf, wilde vastbesloten klinken, maar hij hoorde de onzekerheid in haar stem. 'Ze weten dat er huiszoeking gedaan is, en dat er niets gevonden is. Dat heeft in de krant gestaan, dus waarom zouden ze bij ons komen? Dat oude slot was gewoon versleten, en dat kettinkje stelde ook

87

niks voor. Er komt nu een stevig veiligheidsslot op de deur. En voorlopig houdt de politie de boel extra in de gaten.'

Max hoopte vurig dat die grote jongens de krant lazen. 'Als papa nou echt de namen kent van die kopstukken, en hij zegt dat tegen de politie, dan krijgt hij zelf misschien minder straf.'

'Dat is wel zo,' zei mama.

'Denk je dat hij het zal zeggen, als hij het weet?'

Mama schudde bedachtzaam haar hoofd.

Max maakte zich los uit haar armen. 'Maar als hij dan bijvoorbeeld vijf jaar minder straf krijgt? Zou hij het dan nog niet zeggen?'

Mama fronste haar wenkbrauwen. 'En als die grote jongens erachter komen, wie ze heeft verraden?'

Max hield zijn adem in. Zo ernstig was het dus. 'Dat was laatst op het journaal, weet je nog? Jij zat ook te kijken, toen met die schietpartij. Toen mensen midden in de stad op elkaar schoten, een liquidatie.'

Mama knikte.

Wat een rotwoord. Hij kreeg kippenvel op zijn armen, terwijl zijn hoofd heet werd. Hij drukte zijn voorhoofd tegen de koele, witte tegels. Het liefst zou hij nu vragen: 'Mam, denk je dat dat met papa ook gebeuren kan, zo'n liquidatie?' En dat ze dan zou zeggen: 'Welnee, papa zit in de gevangenis en daar is hij veilig.' Maar hoe veilig was zo'n gevangenis? Je hoorde toch ook wel eens dat grote criminelen veel macht hadden, zelfs binnen de muren van een gevangenis. Toch was het belachelijk dat je gevaar liep als je de waarheid vertelde. 'Mam, als papa meewerkt aan het onderzoek, dan kan hij toch politiebescherming krijgen?'

'Dat is zo,' zei mama, en deze keer klonk ze wel vastbesloten.

Hij liep de trap op. Het was allemaal zo ingewikkeld. Als hij eerlijk was tegen zichzelf moest hij toegeven dat hij papa niet miste. Het was thuis veel fijner zonder hem. Hij hoefde niet meer bang te zijn dat mama klappen kreeg, of dat papa hem weer eens een enorme loser vond. Dat was gelukkig voorbij. Hij was nu bang voor andere dingen. Dat ze op school ontdekten wat er aan de hand was. Dat hij vrienden kwijt zou raken, of naar een andere school moest. Dat ze niets meer te eten hadden of, nog erger, hun huis uit moesten. En hij was bang dat die boeven toch een keer langs zouden komen. Maar daar wilde hij liever niet aan denken.

Hij knipte de lamp op zijn bureau aan en ging zitten. Het eerste wat hij zag was de foto. Hij leunde met zijn kin op zijn handen en keek ernaar. 'Dag pap,' zei hij zacht. 'Ik moet misschien naar een andere school. Leuk hè, maar niet heus. Op deze school willen ze geen boevenjong. Dat heb je toch maar mooi voor me geregeld. Misschien kun je nog iets voor me doen, je bent toch zo'n stoere vent. Nou, als je echt zo flink bent, noem dan maar eens de namen van die schurken. Laat maar eens zien aan welke kant je staat. Kies je voor ons, of voor hen?'

Max stond op en liet zich languit op zijn bed vallen. Als papa nou echt die namen zou noemen, zodat die hele bende opgerold kon worden... Dan was papa opeens een held, dan kon hij zeggen dat zijn vader de politie hielp. Of was dat echt zo gevaarlijk? Hij wilde niet dat papa doodging. En papa hoefde ook geen held te zijn. Hij moest gewoon een papa zijn, maar dat was hij nooit geweest. Zou hij dat nog ooit worden? In de gevangenis had papa tijd om na te denken. Misschien kreeg hij spijt. Mensen konden veranderen.

Hij vouwde zijn handen onder zijn hoofd. Maryse was ook

nooit echt zijn vriendin geweest. Hij vond haar knap, dat vonden alle jongens uit zijn klas ook. Verliefd was hij niet, maar toen zij hem uitkoos ging hij toch wel helemaal uit zijn dak. Omdat hij dacht dat zij hém speciaal vond. En dat had hij nog nooit meegemaakt. Niemand had hem ooit speciaal gevonden, behalve mama dan. Maar dat telde niet mee.

Hij staarde naar het plafond en dacht na. Opeens wist hij precies waardoor het allemaal begonnen was. Door zijn telefoon. Het nieuwste, beste en duurste type. Daar was ze op afgekomen. Ze dacht natuurlijk dat hij net zo'n type zou zijn als zijn telefoon. En nu dat niet zo was, liet ze hem vallen als een baksteen. Ze was nog te laf om het hem in zijn gezicht te zeggen, hij moest het via Rosa horen. Hij zat er niet mee dat het uit was, het was toch nooit aan geweest. Joris zei laatst dat ze met Wiebe had staan tongen. Gadver, hij moest er niet aan denken. Hij mocht blij zijn dat hij van haar af was. Maar dat hij straks misschien naar een andere school moest door haar gezeur, dat was niet eerlijk. Rosa had gelijk. Daar moest hij iets aan doen. Hij kon haar opbellen, net doen of hij gek was, en dan doodleuk zeggen: 'Ach, Maryse, ik bel even om te zeggen dat ik niet meedoe met het kerstconcert. Ik ga liever bij de groep van Joris.' Zou hij dat durven? Hij hield zijn adem in. Ja, dat durfde hij wel. Hij liet zich uit bed rollen, pakte zijn mobiel en zette die aan. Maar hij belde niet. Zonde van zijn beltegoed. Die Maryse was hem echt geen eurocent waard. Hij kon zijn tijd beter aan wiskunde besteden. Of had dat ook geen zin meer? Eigenlijk moest hij een nieuw wiskundeschrift hebben, eentje met grote ruiten. Dat ging hij eerst maar eens halen. Hij kon zich nu toch niet concentreren. O nee, eerst ging hij de poster ophangen.

Hij trok de schuurdeur open en knipte het licht aan. Het rook er naar bandenplak. Hij rilde – het was koud zonder jas – en trok de deur naar zich toe. In de schaduw van het kleine peertje hurkte hij neer bij de werkbank. Het scharnier van de gereedschapskist piepte toen hij de klep optilde. In een van de vakken vond hij een hamer. Nu nog een stevige spijker, er slingerde er vast wel eentje rond in de gereedschapskist. Hij schoof een ijzerzaag opzij en zocht tussen allerlei tangetjes, maar nergens vond hij een spijker van formaat. Onder in de kist zag hij een metalen blik, verborgen onder vaag gereedschap en een poetsdoek. Hij wist wel dat het voor de boren was, toch wilde hij even kijken. Je wist maar nooit waar een verdwaalde spijker terechtkwam.

Hij had moeite met de sluiting, maar na wat gefrunnik kreeg hij het blik toch open. Het was leeg. Dat was vreemd. De vorige keer toen hij het blik zag stonden de boortjes nog in de houder, netjes op een rij van dik naar dun. Hij keek nog eens goed. Toen ontdekte hij tegen de achterwand een zwart boekje. Zijn ademhaling ging sneller toen hij het achter de boorhouder vandaan peuterde. Zachtjes legde hij het blik terug in de kist en keek naar het boekje. Het leek wel een agenda. Hij ging onder het peertje staan en begon te bladeren. De aantekeningen waren in papa's handschrift.

Max schrok op. Kwam daar iemand aan? Nee, maar hij moest hier weg. Hij schoof de gereedschapskist terug en knipte het licht uit. Met de agenda onder zijn trui maakte hij dat hij binnenkwam.

In zijn kamer bekeek hij de agenda opnieuw. Die was van echt leer, dat kon je ruiken. En aan de zijkant hadden de bladzijden een gouden randje. Het was een duur ding, dat kon je zo wel zien. Zoiets bewaarde je toch niet in de schuur?

Max liet de bladzijden langs zijn vingers ritselen. Toen hakte hij de knoop door en begon te bladeren. Het was een raar gevoel om stiekem in de agenda van zijn vader te kijken, maar het moest.

Er stond niet eens zo heel veel in, vaak waren er wel vier lege weken achter elkaar. Dan stond er weer wat gekrabbeld, maar daar begreep Max niks van. Het leken wel geheime codes. Afkortingen van namen, kentekens van auto's en mobiele nummers. Nergens stond er iets begrijpelijks. Bijvoorbeeld vrijdag om negen uur naar de tandarts. Of woensdag om twee uur naar de kapper. Dit was een geheime agenda. Zou papa met dit boekje al dat geld verdiend hebben? Hij keek nog eens naar de notities. Wat een rare namen. Madonna, Madre de Dios, Manke, daar stond een 06-nummer bij. Als de politie dit in handen kreeg… Dan werd die hele boevenbende misschien wel opgerold. Dat zou wat zijn! Max floot zachtjes tussen zijn tanden. Hier hadden ze dus het hele huis voor doorzocht. Nogal logisch dat er niks gevonden was, niemand had in het schuurtje gekeken.

Hij begon heen en weer te lopen van de deur naar het raam. Wat zou hij doen? Natuurlijk moest hij de agenda naar de politie brengen. Maar dat deed hij niet, nog niet. Hij wilde dat papa de kans kreeg, zelfs vanuit de gevangenis, om te laten zien dat hij toch nog iets waard was. Dat was heel belangrijk, vond Max.

Hij kon beter een paar dagen wachten, een week misschien. Intussen moest hij achter die codes zien te komen. Maar hoe? Voorlopig kon hij er geen touw aan vastknopen. Hij kon natuurlijk die 06-nummers bellen, maar wat schoot hij daarmee op? Hij kon toch moeilijk vragen: bent u misschien crimineel? Of, nog erger: kent u misschien mijn vader? Nee, bellen was veel te gevaarlijk. Hij moest juist helemaal niet opvallen. En hij moest die agenda verstoppen.

Hij pakte een plastic hoes uit zijn ringband en stopte de agenda erin. Toen haalde hij de bovenste twee laden uit zijn bureau. Met een rolletje plakband knielde hij op de grond en plakte de hoes stevig tegen de achterwand van zijn bureau. Tevreden schoof hij de laden weer op hun plaats. Geen mens die de agenda vinden zou. Geen mens die hier trouwens zoeken zou. Het had immers in de krant gestaan dat er niets gevonden was. Nee, die agenda was veilig. En hij zou zwijgen als het graf.

Hij had het er warm van gekregen en liet zich op zijn stoel zakken. Voor hem op het bureau lagen zijn eigen agenda en zijn wiskundeboek. Zijn concentratie was er niet beter op geworden, maar dat ruitjesschrift kon hij wel even halen.

Hij nam de brandgang, achter de huizen langs. Voor hij de straat overstak keek hij even opzij. Er zat een man in een auto, hij zag het meteen. Het hield hem zo bezig, dat hij in de winkel bijna zijn wisselgeld vergat. Toen hij met zijn nieuwe schrift de straat in reed, zat de man er nog. Max was er niet gerust op. De auto stond schuin tegenover zijn huis, de motor draaide niet en de lichten waren uit. Max aarzelde kort, toen besloot hij niet via de brandgang terug te gaan, maar vóór om, langs de auto. Hij prentte het kenteken in zijn geheugen en maakte vaart. Zo hard hij kon reed hij voorbij, de hoek om, achter de schuurtjes langs. In de tuin schoof hij meteen de grendel op de poort. Hijgend stoof hij de keuken in. Ook daar draaide hij meteen de deur achter zich op slot.

Zijn moeder schrok. 'Wat is er met jou aan de hand?'

Hij hijgde nog steeds. 'Er staat een auto in de straat.'

Mama keek ongerust, maar ze begreep hem niet. 'Hoezo, een auto? De hele straat staat vol auto's.'

'Ja, maar deze staat schuin tegenover ons huis. En er zit een man in.'

'Volgens mij is er iemand jarig bij de overburen,' meende mama. 'Ik zag vandaag slingers voor het raam hangen. Dat was toch vandaag? Ja, ik weet het zeker. Dus misschien is het wel verjaarsvisite.'

Max ritste zijn jack los. 'Als je op visite gaat blijf je toch niet in de auto zitten?'

Mama legde de pannenlappen neer. 'Daar heb je gelijk in. Maar misschien moest hij nog even bellen, voor hij naar de jarige ging.'

Max dacht aan de agenda, maar daar wou hij niks over zeggen. 'Ik geloof er niks van. Kijk zelf maar.'

Mama liep voor hem uit en wilde de kamer binnengaan. Nog net op tijd trok hij aan haar arm. Je ging toch zeker niet voor het raam in de kamer staan gluren, met alle schemerlampen aan? Dan zagen ze je meteen. Tinka zat naar een tekenfilmpje te kijken, ze mocht niet merken dat er iets was. Hij wilde haar niet bang maken.

Hij sloop de trap op, met mama achter zich aan, en glipte de grote slaapkamer aan de voorkant binnen. Daar was het koud en donker. Met zijn tweeën stonden ze naast elkaar, verdekt opgesteld achter de open gordijnen.

'Zie je het?' fluisterde Max.

Mama schudde haar hoofd. 'Ik zie niks bijzonders.'

Hij ging achter haar staan en wees. 'Zie je de witte auto van de buurman?'

Ze knikte.

'Daarachter staat een rood busje, dat staat hier de laatste tijd wel vaker geparkeerd. Met die gele letters erop, Klusbus. En daarachter, in die donkere auto, zit een man. Zie je hem? Zijn hoofd zit in de schaduw, maar je kunt zijn lichte shirt zien.'

Mama kneep haar ogen tot spleetjes en tuurde door het raam. 'Je hebt gelijk. Er zit een man in die auto. En zat die er ook al toen jij wegging?'

'Dat zei ik toch.'

Mama boog iets dichter naar het glas. 'Het is geen taxi, of zo. Er staat helemaal niets op die auto, en vanaf hier kun je het kenteken niet lezen.'

'87 HZ NL,' zei Max zachtjes.

Mama's mond viel open. 'Kun jij dat van hieraf zien? Wat heb jij goede ogen! Ik ben bang dat ik een bril nodig heb, ik zie er geen steek van.'

Hij schoot in de lach.

Mama snapte er niks van. 'Wat valt er nou te lachen?'

'Jij hebt geen bril nodig,' bekende hij. 'Ik heb het kenteken onthouden.'

Mama gaf hem een por. 'Max, je bent geweldig. Schrijf het maar gauw op, voor je het vergeet.'

Grinnikend liep hij naar zijn kamer, knipte de lamp aan en pakte een pen. Hij hoorde mama aankomen en schreef gauw: Ik ben geweldig. Met ingehouden adem keek hij toe hoe ze zich over zijn bureau boog en het briefje las. Hij zag haar verbaasde gezicht en gierde het uit. 'Je zei het zelf: Max, je bent geweldig. Schrijf het maar gauw op, voor je het vergeet.'

'Grapjas,' zei ze. 'Je weet best wat ik bedoel.'

Max schreef het kenteken op en dacht aan mama's woorden. Ze had het zo spontaan gezegd, het rolde zomaar uit haar mond. Papa had dat nog nooit tegen hem gezegd, die kon zoiets niet over zijn lippen krijgen. Opeens hield hij zijn hoofd schuin. Hij hoorde een auto starten. Meteen knipte hij de lamp uit, en trok mama mee. Opnieuw gluurden ze door het raam. Van de witte auto sprongen de lampen aan, er kwam rook uit de uitlaat.

'De buurman gaat weg,' fluisterde Max.

'Arme buurman,' zei mama met een zucht, 'hij weet niet eens dat we hem bespioneren. We lijken wel rechercheurs.'

Onder aan de trap riep Tinka. 'Mam, waar ben je? Het ruikt zo raar in de keuken.'

'O jee, mijn rijst brandt aan!' Mama sprintte naar beneden.

Max volgde, maar eerst keek hij nog even naar buiten. De man zat er nog.

Na het eten zat hij er nog steeds.

'Ik bel de politie even,' zei mama zachtjes tegen Max. 'Die man zit hier al minstens een uur, als het niet langer is. Ik wil toch graag weten hoe het zit.' Ze pakte het visitekaartje dat de agent haar had gegeven van de schoorsteen en liep de kamer uit. Vanwege Tinka natuurlijk.

Hij glipte achter haar aan naar boven en liep meteen naar het raam. Op de overloop hoorde hij mama het nummer intoetsen en zachtjes praten. Het gesprek duurde maar kort. Max keek om toen mama de slaapkamer binnenkwam. 'En?'

'Het is een rechercheur,' fluisterde mama, 'hij observeert de straat. Dat komt natuurlijk omdat ik ze gebeld heb over die gasman. Eigenlijk had hij al weg moeten zijn, zijn dienst zit erop.'

Buiten startte de auto, de koplampen sprongen aan. Samen bleven ze kijken tot de rode achterlichtjes om de hoek verdwenen.

'Kom,' zei mama, 'we gaan bij Tinka zitten. Anders denkt ze nog dat er iets aan de hand is.'

9

Ruim een uur later ging de telefoon. Mama nam op. Ze zei haar naam niet meer, merkte Max, alleen maar hallo. Daar zou vast een reden voor zijn. Die kon hij wel raden.

'Voor jou,' zei mama, 'het is Joris.'

Joris? Wat zou die willen? Ach, er was natuurlijk niemand. De anderen zaten bij Maryse thuis, kerstliedjes uit te zoeken. Maar hoe wist Joris dat hij daar niet meer bijhoorde? Ze hadden elkaar na school niet meer gesproken.

Max nam de telefoon aan. 'Met Max.'

Joris klonk vrolijk. 'Hé, Max, kun je even komen?'

'Nu meteen?'

'Met spoed,' grapte Joris.

Max aarzelde. 'Is er iets?'

'Ja, er is iets. Maar dat zeg ik lekker toch niet door de telefoon.'

'Maar…'

'Joh, niet zeuren, kom gewoon. We zitten in het hok, tot zo.' Joris hing op.

Het hok was achter het tuindershuis, daar dronken de mannen van de kwekerij koffie en aten hun brood. Maar wie waren 'ze'? Diep in gedachten stond Max op.

'Wat ga je doen?' vroeg zijn moeder.

'Ik ga nog even naar Joris.'

'Nou nog? Zou je dat wel doen?'

'Het is pas half acht.'

'Maar het is hartstikke donker buiten. En je weet maar nooit wie je tegenkomt.' Ze maakte een hoofdbeweging naar het raam en knikte naar Tinka. Geheimtaal, maar hij begreep het wel.

'Ik kijk echt wel goed uit,' beloofde hij.

Zijn moeder was er niet helemaal gerust op. 'Heb je je telefoon bij je?'

Hij rende naar boven en kwam terug met zijn mobiel.

'Wees voorzichtig,' zei ze nog een keer. 'En vraag of Joris eens hier komt.'

Ja, dat kon hij wel doen. Als Joris dat nog wilde. Max had nooit iemand mee naar huis genomen, al in geen jaren. Als er iemand aanbelde om hem op te halen, riep hij altijd bij de voordeur: 'Ik kom eraan!' Dan greep hij zijn fiets en ging mee. Hij kon ook niemand vragen. Je wist nooit wanneer papa opdook en in welke stemming die was. Je wist ook nooit voor je binnenkwam of mama misschien weer toegetakeld was. Nee, het geheim moest binnenblijven en de vrienden buiten.

Hij hoorde dat mama de achterdeur op slot draaide en pakte zijn fiets. Het was helder vriesweer. Nooit eerder had hij zo veel sterren aan de hemel gezien, het was heel bijzonder. Hij reed de brandgang uit. Het was hooguit tien minuten fietsen naar de rand van de stad. Voorbij de rotonde werd het stil op straat. Een enkele auto passeerde hem. Aan het eind van de lange straat kon hij het licht in de kassen zien branden. Zou er nog gewerkt worden? Dat kon best zijn. Tegen Kerstmis was het altijd vreselijk druk, wist hij. Hij had geen idee waarom hij moest komen en hij probeerde expres aan andere dingen te denken. Anders werd hij veel te zenuwachtig. En die zenuwen van hem stelden niet veel meer voor.

Bij het verkeerslicht stak hij de tweebaansweg over. Twintig meter verder begon het pad naar de tuinderij. Hij reed langs het huis en stalde zijn fiets tegen de achterkant. Uit gewoonte zette hij hem op slot. Het sleuteltje viel uit zijn trillende handen. In het schijnsel van de buitenlamp vond hij het terug. Hij stopte het in zijn broekzak en trok de deur van het hok open.

In één oogopslag zag hij ze naast elkaar op de oude bank zitten: Rosa, Lennart en Fatima. In de doorgezakte leunstoel zat Joris. Toen ze hem zagen sprong Joris op, greep een lege keukenrol van de tafel als microfoon en riep: 'Dames en heren, ik stel aan u voor de zojuist opgerichte, maar binnenkort wereldberoemde band Starshine. Met op gitaar de vingervlugge Lennart, hij komt regelrecht van de muziekschool. Op saxofoon onze adembenemende Rosa, en met zang van onze charmante zangeres Fatima! Tot slot op de drums, dames en heren, niemand minder dan mister rythm machine himself: Max! Applaus!'

Max zag ze klappen en lachen op de bank en trok de deur achter zich dicht. Toen werd het stil, heel even maar. Daarna begonnen ze allemaal tegelijk te praten. Zelfs de anders zo stille Fatima kwam met haar glasheldere stem boven iedereen uit.

Max liet zich in de stoel met de grote oren zakken en luisterde. Ze waren kwaad, en niet zo'n beetje ook, om wat Maryse hem geflikt had. Wat een rotstreek! Het was toch zeker al erg genoeg dat zijn vader in de gevangenis zat. Daar kon hij toch niks aan doen? Dat was gewoon discriminatie. Ze werden opnieuw stil en keken naar Max.

Max staarde naar zijn handen. 'Dus jullie weten het.'

Fatima en Lennart knikten. Rosa had hen vanmiddag gebeld.

Toen keek Max Joris aan. 'En jij? Sinds wanneer weet jij het?'

Joris stond nog steeds met de keukenrol in zijn hand. 'Ik wist het maandagmorgen al, nog voor ik naar school ging.'

Max keek op. 'En je deed gewoon tegen me, liet niks merken.'

'Je bent toch mijn vriend.'

Met twee, drie grote stappen was Max bij Joris. Ze sloegen de armen om elkaar heen en klopten op elkaars schouders.

Max knipperde een paar keer met zijn ogen, zijn stem klonk hees. 'Ik twijfelde soms, of je het nou wel of niet wist. Maar ik kon er niet over praten. Ik durfde niet, dacht dat ik iedereen kwijt zou raken.'

'Vriendschap kan ook zonder woorden,' zei Joris ernstig. Maar meteen werd hij weer vrolijk. 'En ik wilde jou natuurlijk wel eens zien drummen, na al die verhalen over je opa.'

Max knikte. 'Maar jij zit toch bij de groep van de kerstversiering? Wat doe je dan bij de band?'

'Ik ben de manager, ik regel de contracten,' grapte Joris. 'Nee, onzin. Maar toen Rosa me belde over Maryse, moest ik natuurlijk in actie komen. Rosa heeft Fatima en Lennart gevraagd om zo vroeg mogelijk hier te komen.'

'En Maryse?' vroeg Max.

'Die moet maar een soloconcert spelen op haar vleugel,' vond Rosa. Meteen ging haar mobiel. Ze nam op. 'Maryse,' seinde ze naar de anderen.

Het werd stil, iedereen keek gespannen naar Rosa.

'Ik kom niet,' zei Rosa. 'Nee, ik had nog geen tijd om je te bellen. Trouwens, Lennart en Fatima komen ook niet, dus die hoef je niet te bellen.'

Ze was even stil om te luisteren. 'We vinden het belachelijk zoals je over Max praat, je geeft hem de schuld van wat zijn vader doet. Dat is toch niet eerlijk? Alsof hij...'

Rosa keek naar haar telefoon, en toen naar hen. 'Nou moe, ze heeft opgehangen.'

Een halve minuut later ging Lennarts mobiel. Hij nam op. 'Hi, Maryse...'

'...Nee, ik kom niet. We zitten met zijn allen bij Joris. Rosa, Fatima, Max en ik...'

'...Nee, Fatima komt ook niet.'

Lennart keek hen aan. 'Ze hangt zomaar op, zonder gedag te zeggen.'

Iedereen lachte, behalve Max. 'We moeten haar niet voor de gek houden,' zei hij. 'Zij kan er ook niks aan doen dat ze zulke ouders heeft.'

'Nee, maar ze kan wel normaal doen tegen haar klasgenoten,' vond Rosa. En dat was iedereen met haar eens.

'We moeten nog wel wat doen,' zei Fatima. 'Kerstliedjes uitzoeken.'

'Ja, maar niet van die slome, over herdertjes die bij nachte lagen,' vond Rosa. 'Het mag best een beetje pittig.'

Lennart pakte zijn gitaar, die naast hem stond. 'Bedoel je zoiets?' Hij begon te spelen. Fatima viel in en zong mee. Ze werden er stil van.

'Dat nummer heb ik op cd,' zei Max. 'Wereldmuziek heet het, geloof ik, er zit bladmuziek bij. Er staan liedjes uit alle werelddelen op, en ze gaan allemaal over vrede. Noem het maar peacepop. Dat past toch perfect bij Kerstmis?'

'Wat mooi,' verzuchtte Rosa. 'Jammer dat we niet voor publiek spelen, maar alleen voor onze klas. Dit klinkt echt te gek.'

'Dan regelen we toch publiek,' bedacht Joris.

Ze keken hem vragend aan.

'We zeggen gewoon tegen mevrouw De Bonth dat we zo goed zijn, dat we graag voor publiek spelen. Dan nodigen we iedereen uit, familie, vrienden en bekenden.' Hij gaf Max een por. 'Misschien komt jouw beroemde opa dan ook.'

'Te gek, man,' lachte Rosa. 'Hoe kom je erop!'

'Je bent manager of je bent het niet,' vond Joris.

'Dan maken we uitnodigingen voor ons kerstconcert,' bedacht Fatima.

Max zat stil te genieten. Als opa Trom zo'n uitnodiging kreeg kwam hij beslist. 'We moeten wel repeteren,' zei hij. 'Zullen we morgen weer afspreken? Dan laat ik die cd horen. Om zeven uur bij mij thuis?'

Dat was afgesproken.

Pratend en lachend liepen ze naar buiten, alleen Max wachtte even tot hij alleen met Joris was. 'Ik heb iets gevonden,' zei hij zacht. 'Een agenda van mijn vader, maar ik kan de codes niet ontcijferen. Wil je me helpen?'

'Altijd,' zei Joris. 'Morgen na school, bij mij?'

'Afgesproken.'

Tot halverwege de rotonde reden ze samen. Fatima en Lennart haakten als eersten af.

Vlak voor de rotonde kneep Rosa in haar remmen. 'Nou, tot morgen.'

Max sprong van zijn fiets. Even stonden ze stil naast elkaar, alsof ze niet wisten wat ze zeggen moesten. Toen vroeg Max: 'Hoe kwamen jullie eigenlijk bij die naam Starshine?'

'Die heb ik bedacht.' Rosa lachte. 'Toen ik vanavond van huis wegging stond de hemel vol sterren, vandaar Starshine. Kijk, ze staan er nog.'

Met hun gezichten dicht naast elkaar keken ze naar boven. 'Wat een passende naam,' fluisterde Max. Het raakte hem dat Rosa, net als hij, naar de sterren had gekeken. Hij boog naar haar toe en gaf haar een onhandige zoen, ergens tussen haar kin en haar oor. 'Roos, bedankt, je beseft maar half wat je voor mij gedaan hebt.'

Werd die stoere Rosa nou verlegen? Ze friemelde aan haar handvat. 'Ach, het werd tijd dat Maryse wat ging dimmen.' Toen stapte ze op haar fiets. Max keek haar na tot het rode achterlichtje in de verte verdween.

Met zijn hoofd in de wolken reed Max verder. Zijn fiets trapte licht als een veertje, het leek wel alsof hij vleugels had. Wat een ongelooflijke avond, wat een fantastische vrienden. Dit had hij echt niet durven dromen. Hij moest het meteen aan mama vertellen, wat zou ze blij zijn. Het voelde alsof er een vracht van duizend kilo van zijn schouders was gevallen. Het liefst zou hij nu gaan zingen, keihard. Maar dat deed hij toch maar niet. Met zijn neus in de lucht zoefde hij verder.

Pssst!

Wat was dat? Hij kneep meteen in de remmen. Glas! Hij stapte af en keek om. Er lag een bierflesje op het fietspad, helemaal in gruzelementen. Hij was er dwars doorheen gereden en had een lekke voorband. Nou ja, wat maakte het uit. Hij was al bijna bij het winkelcentrum, dus zo heel ver hoefde hij niet meer. Dat laatste stuk kon hij best lopen. Dan was er zelfs nog tijd om thuis zijn band te plakken.

Hij trok zijn fiets de stoep op en liep verder. Op de hoek zag hij de lichtreclame van de videotheek al knipperen. Hij stak vast over en keek even om. Het was stil op straat. Er liep alleen een man met een lange jas zijn hondje uit te laten. Verder was er niemand.

Voor de helverlichte ramen van de videotheek keek hij even over zijn schouder. De man met het hondje ging rechtdoor. Een auto scheurde de hoek om en stopte met piepende banden op het plein. De chauffeur sprong eruit en liep richting videotheek.

Max stuurde zijn fiets de hoek om. Op het plein brandde de kerstverlichting. Starend naar de stoeptegels dacht hij aan Rosa en aan Joris. Maar vooral aan Rosa.

Terwijl hij zo in gedachten liep doken opeens twee sportschoenen op, witte schoenen met rode veters. En daarna twee flodderige, blauwe broekspijpen. Hij hoefde niet eens verder te kijken, maar hij keek toch. De man keek ook. Twee bewegingloze tellen staarden ze elkaar aan. Toen deden Max zijn benen het weer. Hij liep door, zijn handen om het stuur van zijn fiets geklemd. Achter zich hoorde hij de voetstappen van de man, en de deur van de videotheek. Gelukkig, de man was gewoon verdergegaan. Er was niets aan de hand. Maar hij was zich wel rot geschrokken. Beverig liep hij langs de etalages en de lege supermarkt. Hij volgde de bocht naar het laatste stuk, en kon het kleine lampje in de etalage van de bloemist al zien. Toen floepte de kerstverlichting op het plein uit. Hij ging wat sneller lopen, zijn ogen op dat kleine lampje gericht. Op het plein klapte een autodeur dicht. Een motor startte. Even klonk het geluid van gierende banden. Zonder om te kijken wist Max dat de man met het trainingspak vertrok. Hij zuchtte van opluchting. Toen hoorde hij de ronkende motor naderen. Hij keek opzij. Felle koplampen schenen recht in zijn gezicht, verblind bleef hij staan. Weer hoorde hij de klap van het portier, en toen een stem.

Die kwam tegelijk met de hand op zijn arm.

'Hi,' zei de stem, 'jij bent toch de zoon van Jaap?'

Max antwoordde niet. Hij hield een hand boven zijn ogen tegen het felle licht, waarin hij vaag de omtrekken van de man met de miezerige staart kon onderscheiden.

'Luister, joh, als je thuis iets vindt van je vader, ik bedoel, iets wat van belang kan zijn, een agenda, notitieboekje... dan hoor ik dat graag. We willen toch allebei het beste voor je vader?'

Max voelde de hand om zijn arm verstrakken. Hij moest iets zeggen, en vooral niet tegenspreken. 'Hoe... hoe kan ik u bereiken?'

De hand verslapte. 'Doe geen moeite, ik weet je te vinden. Ik meld me wel.'

Max voelde het kippenvel over zijn rug kruipen. Opnieuw hoorde hij de banden gieren. Verstijfd bleef hij staan tot het ronkende geluid van de auto straten verderop wegstierf. Langzaam kwam hij weer op gang. In zijn hoofd galmden alsmaar dezelfde woorden: ik weet je te vinden. Ja, dat had hij gemerkt. Die zogenaamde gasman was natuurlijk voor de agenda gekomen.

Hij zeulde zijn fiets met zich mee en stak over bij de bloemist. Het laatste stukje leek eindeloos te duren, zijn fiets werd steeds zwaarder en het voorwiel hobbelde telkens voor zijn voeten. Bij elke stap spookte de geheime agenda door zijn hoofd. Die was blijkbaar minder geheim dan hij vermoedde. Wat onnozel van hem om te denken dat alleen zijn vader en hij van het bestaan wisten. Hoeveel mensen zouden zijn vader met dat boekje gezien hebben? Misschien wist heel die bende wel van de agenda.

Opeens stond hij stil. Hij dacht aan het telefoontje. Of ze

iets gevonden hadden, wilde papa weten. Misschien had papa wel gebeld om hem over de agenda te vertellen. En wat had hijzelf gedaan? Hij had gewoon opgehangen. Dat zou hem de volgende keer niet gebeuren, als zijn vader tenminste nog een kans kreeg om te bellen.

In gedachten liep hij verder. Hij mocht wel opschieten, mama zou doodongerust zijn als hij zo laat was. Hij draaide zijn straat in en passeerde de auto met het bekende kenteken. Het stelde hem gerust dat hun huis in de gaten gehouden werd. De politie waakte over de geheime agenda, zonder het zelf te weten. Maar er kon natuurlijk niet dag en nacht iemand voor hun deur posten, dat snapte hij heus wel. En als die hele boevenbende van de agenda wist, was het misschien toch niet zo verstandig om die agenda op zijn kamer te verstoppen. Daarmee bracht hij mama, Tinka en zichzelf onnodig in gevaar. Als mama erachter kwam waar hij mee bezig was, zou ze hem nooit meer vertrouwen. De agenda was veilig, die vonden ze daar vast niet, maar hij wilde niet dat ze in huis kwamen zoeken. Die agenda moest weg, het huis uit. En als die miezerman dan weer opdook kon hij met een stalen gezicht zeggen: 'Ik weet het zeker, bij ons in huis is niks te vinden.' Nou ja, stalen gezicht was iets overdreven, het zou wel een pokerface met bibberstem worden. Zijn besluit stond vast: die agenda moest weg zodra ze de codes ontcijferd hadden.

Opeens dacht hij aan het hok achter het tuindershuis. Als hij de agenda daar verstopte zou niemand hem vinden. Mooier nog, niemand zou hem daar zoeken. Dat was de oplossing. Hij kon Joris vragen. Nee, hij mocht Joris niet in gevaar brengen. Die agenda ging terug naar de schuur, in het blikje met de boren.

Toen hij thuiskwam zat mama met oma Trom aan de telefoon. Dat kwam hem goed uit. Hij kon het niet meer opbrengen om enthousiast over Starshine te vertellen. En over wat daarna gebeurd was mocht ze echt niets weten.

Hij dronk een glas water, in de hoop dat het dichtgeknepen gevoel in zijn keel verdween, en ging naar bed. Zodra zijn hoofd het kussen raakte hoorde hij de stem weer: ik weet je te vinden. Meteen zag hij het gezicht met de sliertige haren weer voor zich. Wat een akelige vent. En die wilde het beste voor papa? Voor zichzelf, zou hij bedoelen. Die man zou net zo lang doorgaan tot hij had wat hij hebben wilde. Maar de agenda kreeg hij niet, nam Max zich voor. De agenda bewaarde hij tot papa erom vroeg. Hij kneep zijn ogen stijf dicht, tot het gezicht van de man verdween en hij alleen nog lichtflitsen zag. Toen moest hij aan een film denken die hij laatst gezien had, waarin een criminele bende een gezin hardnekkig achtervolgde en bedreigde. Uiteindelijk werd het gezin gered doordat het een nieuwe identiteit kreeg. Hij probeerde zich voor te stellen hoe dat zou zijn om plotseling in een ander deel van het land te wonen. Met een nieuwe naam, op een nieuwe school, en zonder familie en vrienden. En met Tinka, die haar mond voorbij zou praten zodat alles vergeefs was.

Hij kwam half overeind en staarde, leunend op zijn elleboog, in het donker. Wat lag hij nou toch allemaal te denken? Het was maar een film. Een nieuwe identiteit omdat hij één zo'n mannetje tegenkwam? Als papa met de politie praatte werd dat mannetje waarschijnlijk meteen opgepakt.

Hij schudde zijn kussen op en wilde net gaan liggen, toen mama zachtjes binnenkwam. 'Ik dacht al dat je nog wakker was. Hoe was het bij Joris?'

'Fantastisch. Ik heb vandaag een paar echte vrienden gekregen. Weet je wat er gebeurd is?' Hij knipte het lampje boven zijn bed aan en vertelde het hele verhaal. Hij zag dat mama genoot. 'En morgen heb ik het eerste uur vrij,' eindigde
hij. 'Maar dan moet ik eerst douchen en mijn band plakken.'

Ze knikte. 'Ga maar gauw slapen, het is al laat.'

Toen ze de deur achter zich sloot, keek hij nog even naar
de foto. 'Mooie vrienden heb je,' mompelde hij. 'Ik vind de
mijne leuker.'

10

Met zijn haar nog een beetje vochtig van het douchen reed hij naar school. Zijn voorband was geplakt, dat had zijn moeder gedaan terwijl hij sliep, zodat hij nog tijd had om de poster van de Fireballs op te hangen.

Maryse stond er niet, maar hij had ook niet meer op haar gerekend.

Vlak voor de zoemer ging zag hij het cabriootje weer opduiken. Het reed regelrecht de parkeerplaats voor de school op. Toen hij op de drempel nog een keer omkeek, zag hij Maryse en haar moeder samen naar de ingang lopen. Dat kon nooit veel goeds betekenen. Vanuit het trappenhuis zag hij nog net dat ze recht op de kamer van de rector afstapten. Hij wist nu al hoe dat gesprek zou lopen. Maryses moeder zou de rector haarfijn uitleggen dat de school een goede naam hoog te houden had. Dat ze niet zomaar Jan en alleman toe konden laten en bladiebladiebla...

Het zat hem niet lekker. Uiteindelijk zou hij toch aan het kortste eind trekken. Een orthodontist tegen een crimineel, het was wel duidelijk wie dat won. Hij moest er de hele tijd aan denken, kon zijn aandacht nauwelijks bij de lessen houden. Tot twee keer toe ging de klasdeur open, en allebei de keren bonkte zijn hart zo vreselijk dat iedereen het wel moest horen. Hij wilde helemaal niet meer naar een andere school. Zeker niet na gisteravond. Zo'n stel vrienden vond hij nergens meer.

Toen de zoemer ging, klapte hij zijn boeken dicht. Pauze. Hij moest naar buiten, frisse lucht happen. Als een van de eersten liep hij de gang op, recht in de armen van mevrouw De Bonth. 'Max, goed dat ik je zie. Loop je even mee naar de kamer van meneer Veeger?'

Meneer Veeger, dat was de rector. Nu ging het gebeuren.

Max sjokte achter mevrouw De Bonth aan. Hij liep steeds langzamer, het was alsof er een schroefdraad heel strak om zijn keel zat. Maar mevrouw De Bonth wachtte telkens op hem, en nam hem mee naar de kamer van de rector. Hier was hij nog nooit geweest. Hij struikelde van de zenuwen bijna over zijn eigen voeten.

De rector zat achter een kolossaal bureau en gebaarde naar de stoelen tegenover hem. 'Ga zitten.' Max kreeg zelfs een hand.

Daar zat hij dan, te wachten op het laatste oordeel.

De rector keek hem over zijn brilletje aan. 'Hoe is het met je?'

Max haalde zijn schouders op. Wat moest hij hier nou mee? Eerst een beetje beleefd gaan zitten doen en dan jammer, maar helaas?

'Ik had zojuist je moeder aan de telefoon,' ging de rector verder.

Max schrok zich lam. Dat ze naar Tinka's school ging kon hij begrijpen, Tinka was nog klein. Maar dat ze de rector gebeld had vond hij vreselijk.

De rector streek een pluk grijze haren achterover. 'Ik heb haar gebeld, omdat ik graag iets meer wilde weten over de situatie bij jou thuis.'

Mama had dus niet gebeld. Meneer Veeger wel, dan was het menens. Zou mama nu al weten dat hij van school af moest? Max zweeg. Hij keek opzij, naar mevrouw De Bonth. Maar die zat rustig op haar stoel, alsof ze op visite was.

De rector leunde over zijn bureau heen naar Max toe. Zijn ogen keken ernstig boven het brilletje uit. 'Het is niet mis wat er allemaal gebeurd is. Je zult het heel zwaar hebben. En dan toch nog elke dag naar school komen.' De rector pauzeerde even. 'Je weet dat je altijd bij mevrouw De Bonth terechtkunt als er iets is?'

Max knikte aarzelend; hij begreep niet goed waar de rector heen wilde.

Die duwde zijn afgezakte brilletje iets omhoog en keek hem aan. 'Ik wou je alleen even dit zeggen: ik zal niet toestaan dat leerlingen van deze school jou het leven zuur maken. Jij en je moeder hebben het al zwaar genoeg. Jij bent niet verantwoordelijk voor het gedrag van je vader. Mocht iemand daar anders over denken, dan kom je bij mij. Afgesproken?'

Het duurde even voordat de boodschap overkwam. Maar toen de woorden van de rector echt doordrongen tot Max, sprong hij op. Hij boog zich over het grote bureau heen, greep de hand van de rector en schudde die alsof het om de laatste cent uit zijn spaarpot ging. 'Bedankt, meneer.'

Zijn voeten dansten toen hij met mevrouw De Bonth de kamer uit liep. Zodra de deur achter hem dichtviel, zuchtte hij diep. 'Oef, en ik dacht nog wel dat ik van school af moest.'

Geschrokken bleef mevrouw De Bonth staan. 'Jongen toch, hoe kom je daar nou bij?'

'Maryse zei het,' flapte hij eruit.

'Ik denk dat Maryse zelf onze school gaat verlaten,' zei mevrouw De Bonth. Toen sloeg ze verschrikt haar hand voor haar mond. 'Dat heb je niet van mij.'

Max lachte. 'Ik weet van niks.'

'Gelukkig maar,' vond mevrouw De Bonth en ze bracht hem naar zijn klas terug.

De rest van de schooldag, en dat waren nog maar drie uurtjes, vierde hij zijn eigen feestje. Hij zat in de les, maar eigenlijk was hij er niet.

'Wat is er met jou aan de hand?' vroeg Joris in de pauze.

'Ik mag op deze school blijven,' zei Max lachend.

Joris verkocht hem een klap op zijn schouder. 'Natuurlijk blijf je hier. Wat is daar nou zo bijzonder aan?'

'Ja, maar Maryse...'

'Maryse? Wie was dat ook alweer? Ik heb vandaag geen Maryse gezien. Jij wel, Rosa?'

'Nou je het zegt,' begon Rosa. 'Nee, Maryse is er de hele dag nog niet geweest.'

Het laatste uur vloog voorbij. Niet dat hij er iets van mee kreeg. Als ze hem zouden vragen welke vakken hij vandaag had, dan zou hij het niet eens meer weten. De eerste les had hij gemist omdat hij zo vreselijk gespannen was. En daarna had hij alleen nog maar op vleugeltjes rondgefladderd. Zo blij was hij geweest. Blij omdat hij niet van school af hoefde. Maar misschien nog wel blijer om de woorden van de rector: ik zal niet toestaan dat leerlingen van deze school jou het leven zuur maken. Die woorden gaven hem nou net dat zetje dat hij nodig had.

Toen hij naar de fietsenstalling liep zong er alsmaar een liedje diep binnen in hem. 'Ik ben rijk, ik ben rijk,' ging het liedje. En rijk was hij, met zulke vrienden, met zo'n rector en met zo'n school. Het leek wel alsof Joris en Rosa ook zo'n liedje hadden, want onderweg waren ze vrolijker dan ooit.

Na de rotonde reed hij in zijn eentje verder. In het winkelcentrum stopte hij even. Hij ging beltegoed kopen. Dat had hij zich gisteravond al voorgenomen. Stel je voor dat je dringend iemand moest bellen, de politie bijvoorbeeld. Dan kreeg je eerst die vreselijk trage mevrouw aan de lijn die letter voor letter vertelde hoe hoog je beltegoed was. Alsof je daar wat aan had als je leven in gevaar was. Hij had die tien euro van opa nog steeds en daar kon hij mooi zijn beltegoed van betalen.

Met het bonnetje in zijn hand kwam hij de winkel uit. Hij ging meteen opwaarderen en liet zijn telefoon aanstaan. Je wist maar nooit wie je tegenkwam. En misschien belde papa nog.

Mama was ook al zo vrolijk toen hij thuiskwam.

'De rector van jouw school belde,' vertelde ze. 'Wat een aardige man is dat. Hij was zo bezorgd om jou. En zal ik je nog eens goed nieuws vertellen?' Ze wachtte niet eens zijn antwoord af. 'Na de feestdagen kan ik fulltime gaan werken. Vanaf zes uur 's morgens in de ontbijtzaal, tot drie uur 's middags na de lunch. Dan verdien ik genoeg geld voor ons drietjes. Hoe vind je dat?'

Dat was een pak van zijn hart. Hij had zich al zo veel zorgen gemaakt om het geld. 'Mam, dat is geweldig. Dan hoeven we nooit meer aardappelsoep te eten.'

'Nou,' zei mama, 'dan maak ik toch nog één keer aardappelsoep. Maar wel de echte, zoals oma die vroeger maakte. Met heel veel room en stukjes gerookte paling erin.'

'Dat klinkt al veel lekkerder dan aardappels met water, van mij mag je,' zei Max lachend.

'Er is alleen één probleem,' ging mama verder. 'Als jullie 's morgens naar school gaan, ben ik niet thuis. Kun jij dan voor Tinka zorgen?'

Hij knikte. Natuurlijk kon hij dat. Die Tink-Rinkeldekink luisterde wel naar hem. 'Vanavond komen ze muziek uitzoeken, maar eerst ga ik nog even naar Joris, een uurtje.' Met de agenda veilig in zijn binnenzak reed hij de straat uit.

Ze zaten met zijn tweeën dicht naast elkaar op het bed van Joris, en bestudeerden de agenda.

'Snap jij er iets van?' vroeg Max.

'Dit zijn kentekens van auto's,' wees Joris, 'en dat zijn mobiele nummers.'

'Ja, dat had ik zelf ook al bedacht. Maar verder kom ik niet.'

'Als we nou eens rustig de eerste drie maanden bekijken,' bedacht Joris, 'dan ontdekken we misschien een lijn.' En hij begon zachtjes voor te lezen:

19 januari
1.30 Madonna 40 kg BMP
3.00 CS 22-PS-LM (20)
4.00 C2000 (10)
5.30 Manke 06 74584173 (10)

15 februari
3.00 Madre de Dios 30 kg BMP
4.30 CS 67-RZ-RF (20)
5.30 C2000 (5)
6.00 Kraai 06 54128148 (5)

17 maart
1.00 Silencio 25 kg BMP
3.00 C2000 (10)
3.30 Big F. 06 39323930 (5)

4.00 Sch. 06 87810665 (5)
4.30 Bolle G. 06 47181403 (5)

'Dat eerste rijtje is de tijd,' dacht Max hardop. 'Dat is normaal in een agenda. Maar die Madonna is natuurlijk niet de wereldberoemde zangeres van 40 kilo, met wie mijn vader 's nachts om half twee een afspraakje had. En wat betekent BMP?'

Joris sprong op en liep naar zijn computer. 'Even googelen.' Hij tikte BMP in en samen wachtten ze op het resultaat. 'BMP computerbestanden, dat is alles. O nee, hier zie ik nog een bedrijf dat zo heet, maar dat heeft ook alles met computers te maken.'

'Dat is het niet,' wist Max heel zeker. 'Mijn vader en computers…'

Joris zocht verder. Geconcentreerd zat hij achter zijn pc. 'Moet je dit zien!'

'Bolivian Marching Powder, cocaine,' las Max. Even verkrampte hij, zijn vader en cocaïne… Maar de kramp trok weg en maakte plaats voor opwinding. 'We zitten goed, dat is het.' Hij las verder. 'De Boliviaanse drugssmokkelaars worden steeds vindingrijker in het verstoppen van de cocaïne; onlangs werd nog een lading kerstgroepen ontdekt, gevuld met het witte poeder.'

Joris boog zich weer over de agenda. 'Dat betekent dan 40 kilo cocaïne in januari. En als je die getallen tussen haakjes bij elkaar optelt kom je ook op 40 uit.' Hij bladerde in de agenda. 'Bij februari en maart klopt dat ook precies. Dat hebben we toch maar mooi ontdekt.'

'Nou die Madonna nog,' zei Max. 'Is dat geen heilige, een Mariabeeld?'

Joris begon steeds harder te knikken. 'Nou herinner ik me opeens weer dat ze in Spanje steeds riepen: Madre de Dios! Ze bedoelden: wat heb ik nou aan mijn fiets hangen? Madre de Dios betekent: moeder van God. Dat past perfect bij die Madonna.'

'Moeten we dan een kerk zoeken die zo heet?' vroeg Max. 'Of zou die troep in Mariabeelden verpakt zijn?'

Joris googelde weer even. 'Hier in de stad zijn geen kerken met de naam Madonna, Madre de Dios, of Silencio. Daar komen we niet verder mee.'

Max bladerde nog eens in de agenda. 'Het zou ook buiten de stad kunnen zijn, als je kijkt naar de tijd. Er zit steeds anderhalf, twee uur tussen de eerste en de tweede afspraak. Misschien moet hij eerst wel die beelden stukslaan en het spul in porties verdelen. Dat kost ook tijd.'

'cs, wat betekent dat ook alweer?' dacht Joris hardop. 'Ach, natuurlijk centraal station.'

'We zijn eruit,' zei Max, 'ik weet nu hoe het zit. Kijk, eerst haalt hij het ergens op, daar moeten we nog achter zien te komen. Dan gaat hij naar het centraal station, waar een auto wacht met dat kenteken. Die krijgt een portie. Een ander deel brengt hij naar C2000. Dat zal wel geen supermarkt zijn, maar dat zoeken we nog uit. De rest gaat naar iemand met de bijnaam Manke. En die is makkelijk op te sporen, zijn telefoonnummer staat erbij.'

'Je gaat toch niet bellen?' schrok Joris.

'Ik ben niet gek, daar wil ik niks mee te maken hebben.'

'Gelukkig maar.'

'Ik wil alleen weten waar mijn vader mee bezig was.'

'Dat snap ik,' zei Joris. 'Dat zou ik ook willen. Ik kan me alleen niet voorstellen dat mijn vader zoiets zou doen.'

'Dat dacht ik ook van mijn vader,' zei Max zacht.

'Nogal logisch,' vond Joris. 'Ik vind het heel erg voor je, maar ik ben wel blij dat ik je mag helpen. We komen er wel achter.'

'Ik hoop het,' zei Max, 'maar ik moet nou echt naar huis.'

'Zullen we zaterdag verder zoeken?' vroeg Joris. 'Misschien vinden we iets bij de vvv, daar hebben ze zo veel informatie over de stad.'

'Dat is een goed idee,' vond Max. Hij stopte de agenda weer in zijn binnenzak en vertrok naar huis. Hij stalde zijn fiets in de schuur, haalde de agenda tevoorschijn en stopte die terug in het blikje van de boren. Zo, geen gespuis in huis, dacht hij.

Toen hij goed en wel binnen was, ging zijn mobiel.

Het was Joris. 'Je gelooft nooit wat ik ontdekt hebt.'

'Wat dan?'

'Heb je de krant van eergisteren nog?'

Max liep naar de mand met kranten en begon te rommelen. 'Eergisteren, zei je? Ja, die heb ik. Waarom?'

'Op bladzijde 7 staat een stukje: Dronken stuurman laat schip vastlopen. Als je dat leest, heb je de oplossing. Ik moest het hok even opruimen, en die krant lag daar, precies opengevouwen op die ene bladzijde. Ik dacht, ik bel meteen. Vanavond zijn de anderen er ook bij. Succes.' Joris hing op.

Nieuwsgierig zocht Max het stukje op en begon te lezen.

DRONKEN STUURMAN LAAT SCHIP VASTLOPEN
Gisteren rond het middaguur is het scheepvaartverkeer enige tijd gestremd geweest doordat het Boliviaanse schip Madre de Dios vastliep in de Westerschelde. Het schip had de haven van Rotterdam aangedaan en was op weg naar Antwerpen. Uit

onderzoek van de Waterpolitie bleek dat de stuurman dronken was.

Madre de Dios, dacht Max, wat heb ik nou aan mijn fiets hangen. Hij dook achter zijn pc en zocht de haven van Rotterdam op. Daar klikte hij op aankomst en vertrek, waarna er drie mogelijkheden waren. Verwacht, in de haven of vertrokken. Hij koos de laatste. En ja, in de eindeloze rij met namen van schepen vond hij de Madre de Dios. Zouden de andere twee namen hier ook te vinden zijn? Snel zocht hij verder. Ongelooflijk, hoeveel schepen er in zo'n haven kwamen. Het duurde een hele tijd, maar hij vond ze. De Silencio werd binnenkort verwacht en de Madonna lag zelfs in de haven.

Hij rekte zich uit, zijn spieren waren stijf van het zoeken. Maar het was de moeite waard. Dit moest Joris weten. Hij belde.

'Heb je het gevonden?' vroeg Joris enthousiast.

'Ik heb ze alle drie,' zei Max. 'Via de haven van Rotterdam.'

'Alle drie? Dan zijn we er bijna,' riep Joris.

'Klopt, alleen zaterdag nog.'

'Dat moet ook lukken. Tot straks.'

Max bleef staan, de telefoon in zijn hand. Joris had geen naam genoemd toen hij belde, en zelf had hij ook geen namen genoemd. Ze waren heel voorzichtig, je wist maar nooit. Om klokslag zeven uur ging de bel en stonden ze alle vier voor de deur: Joris, Rosa, Lennart en Fatima.

Max keek verbaasd naar de saxofoon en de gitaar. 'Gaan we ook spelen?'

'Natuurlijk!' Rosa lachte. 'We hebben toch een band?'

'Ik heb thuis geen drumstel,' zei Max, terwijl hij voor hen

uit de trap opliep naar zijn kamer. 'Maar ik heb wel…' Hij aarzelde even, terwijl hij aan het drumplankje dacht dat hij lang geleden van opa Trom gekregen had. Ze zouden het misschien te kinderachtig vinden.

'Wat heb je wel?' drong Joris aan.

'Een drumplankje.' Toen Max de vragende gezichten zag legde hij uit: 'Een soort trommelvel zonder trommel, om te oefenen.' Hij knipte het licht op zijn kamer aan, haalde het drumplankje met de stokken tevoorschijn en gaf een roffel. Vragend keek hij op.

Ze knikten goedkeurend.

'Handig ding,' vond Lennart. 'Dat neem je makkelijker mee op je fiets dan een drumstel.'

Joris ritste zijn rugzak open en haalde er twee flessen frisdrank en een zak chips uit. 'Die vond ik nog in het hok.'

Max gaf hem een por. Dat was typisch Joris, die hoefde je niet uit te leggen dat je krap bij kas zat.

'We hebben nog iets,' zei Rosa en ze keek Fatima aan. Die knikte geheimzinnig. 'Een verrassing.'

Max keek de kring rond. Aan de gezichten te zien zaten Joris en Lennart ook in het complot.

'Ogen dicht!' riep Rosa.

Max kneep zijn ogen dicht en luisterde naar het geritsel van papier.

'Tataa! Kijk maar!' riep Rosa weer.

In de uitgestoken hand van Fatima zag Max een groene kaart, waarop een takje hulst stond met rode besjes. 'Uitnodiging voor het kerstconcert,' las hij hardop. Hij nam de kaart aan, vouwde hem open en las de tekst. Familie en vrienden werden uitgenodigd voor het kerstconcert van Starshine. Voor een hapje en een drankje werd gezorgd door… Max las de namen van klasgenoten die zich aangemeld hadden voor het maken van de kerstbrunch. En in de volgende rij stonden de namen van degenen die voor de kerstversiering zorgden. Maar helemaal vooraan, in de eerste rij, werden de namen van de bandleden genoemd.

Max las dat ene regeltje telkens opnieuw. Slagwerk: Max de Boer. Als opa Trom dit zag! En mama. Hij zwaaide met de kaart door de lucht en vroeg: 'Hoe hebben jullie dit voor elkaar gekregen?'

Joris stak zijn borst vooruit. 'Daar heb je dus een manager voor.'

'We hebben geheim overleg gehad met mevrouw De Bonth,' verklapte Rosa. 'We hebben haar helemaal gek gezeurd om een concert voor publiek te geven. Uiteindelijk vond ze het goed, als de klas het er ook mee eens was. Toen jij bij de rector was hebben we gestemd, en iedereen wilde een optreden van Starshine.'

'Dit is fantastisch,' zuchtte Max. Opnieuw bekeek hij de kaart, en dan vooral dat ene regeltje met zijn naam. 'Maar dan moeten we wel ons stinkende best doen om te zorgen dat we goed zijn.'

'Aan het werk,' riep Joris, 'dan zorg ik dat de glazen gevuld blijven.'

'Toch handig, zo'n manager.' Max knipoogde en zette de cd op. Van elk nummer liet hij een stukje horen. Ze kozen er zeven.

'Is dat niet te veel?' vroeg Max.

'We spelen er zes, die zevende wordt de toegift,' zei Joris slim.

'No problem,' zei Lennart, 'ik ken de hele cd, die heb ik thuis ook.'

Rosa en Fatima deelden samen de bladmuziek, Max pakte zijn trommelstokken en telde af. 'Een, twee, een, twee, drie, vier...'

Wat aarzelend gingen ze van start, maar nadat ze het eerste nummer een keer of drie gespeeld hadden, knikte Joris tevreden. 'Dat klinkt niet gek.'

'Wacht maar,' zei Max, 'tot ik achter een echt drumstel zit.'

Toen zijn moeder haar hoofd om de deur stak, was het al bijna negen uur. De tijd was voorbijgevlogen. 'Het klinkt goed,' knikte ze. 'Maar Tinka moet nu echt naar bed, ze is al veel te lang opgebleven.' Even was ze stil. 'Jammer dat het alleen voor de brugklassen is.'

Rosa viste de uitnodiging tussen de bladmuziek uit. 'De plannen zijn veranderd.'

Zijn moeder bekeek de kaart aandachtig. 'Slagwerk: Max de Boer,' las ze hardop. 'Daar zal opa van opkijken. Leuk dat we mogen komen.'

'De volgende repetities zijn na schooltijd, in de aula,' zei Rosa. 'Dus u hebt geen last meer van ons.' Toen draaide ze zich om naar Max. 'Mag ik de bladmuziek meenemen? Dan kan ik thuis nog oefenen.'

'Ja, natuurlijk.' Hij keek haar aan, ze keek terug. Een paar tellen stonden ze daar, tot Fatima aan zijn arm trok. 'Mag ik dan je cd lenen voor de tekst?'

Hij vond alles goed.

In optocht liepen ze de trap af, druk pratend over hoe het nog mooier kon worden. Rosa pakte als laatste haar fiets. Ze treuzelde even, tot iedereen wegreed. Toen boog ze naar Max, gaf hem snel een zoen, en haastte zich achter de anderen aan.

Langzaam sloot Max de voordeur. Op de deurmat bleef hij een paar tellen staan. Rosa had hem gezoend! Hij voelde zich zweverig toen hij terugliep naar de kamer.

'Wat een leuk clubje,' begon zijn moeder enthousiast. 'Vooral dat ene meisje, Rosa, lijkt me heel aardig.'

'Ze is ook aardig,' zei Max en hij maakte dat hij wegkwam. Mama leek wel helderziend, maar ze hoefde echt niet alles te weten.

Hij ging vroeg naar bed, lekker dromen van Rosa, en van de repetitie morgen. Dan mocht hij op een echt drumstel spelen.

De volgende dag, na de laatste les, stonden ze op het podium, in de aula.

'Iedereen klaar?' vroeg Max, hij keek de bandleden aan. Toen tikte hij met zijn trommelstokken af. Een, twee, een, twee, drie, vier.

Fatima greep de microfoon, Lennart speelde feilloos zijn loopjes en Rosa viel op het juiste moment in. Het nummer dat gisteren nog zo schuchter van start ging, klonk opeens heel anders. Veel echter.

Max genoot, hij zat swingend op zijn drumkruk.

Toen de laatste tonen verstilden, klonk er opeens applaus. Mevrouw De Bonth liep klappend naar het podium toe. 'Dat klonk goed,' zei ze, 'dat belooft nog wat voor de toekomst.' De rest van haar lofzang ging verloren in de muziek. Max had alweer afgetikt, want er moest nog flink gerepeteerd worden voor opa Trom kwam luisteren.

11

Zaterdagmorgen haalde Joris hem op en reden ze samen naar de stad. De agenda bleef veilig in de schuur. De notities van de eerste drie maanden kende Max uit zijn hoofd, de rest kwam zo'n beetje op hetzelfde neer. Soms andere namen, met andere mobiele nummers erachter, dat loste zichzelf wel op.

'We hoeven eigenlijk niet veel meer uit te zoeken,' zei Joris, terwijl ze van de fietsenstalling de winkelstraat in liepen.

'Sinds we die scheepsnamen hebben is het grootste probleem opgelost,' zei Max. 'Wat een geluk dat jij die oude krant vond, anders waren we er nooit achter gekomen. Dan hadden we nog weken naar kerken of beelden kunnen zoeken.' Hij bleef staan. 'Eigenlijk hebben we daarmee alles opgelost, behalve die C2000.'

'Dan hebben we tijd over voor een hotdog,' zei Joris. 'Zullen we daarmee beginnen?'

'Ik trakteer,' zei Max vlug.

'Zeker weten?'

'Ik heb nog geen tijd gehad om mijn zakgeld op te maken,' zei Max. 'Er is iedere keer wel iets.'

Een kwartiertje later zaten ze samen op een bankje, ieder met een hotdog.

'C2000,' mijmerde Joris, 'dat moet toch niet zo moeilijk zijn. Zullen we dadelijk eens bij de vvv vragen? Misschien weten ze dat zo te vertellen.'

'Het klinkt bekend,' vond Max, 'het kan een kledingzaak zijn, of een discotheek, geen flauw idee.' Hij nam nog een hap van zijn broodje.

'Bij de vvv hebben ze van die folders waar alle winkels en restaurants in staan,' bedacht Joris. 'Misschien kunnen we daar even in kijken, hoeven we ook niks te vragen. Je weet maar nooit, straks is het een seksclub. Dan staan we mooi voor schut bij de vvv.'

Max schoot in de lach. 'Nog een geluk dat je daar van tevoren aan denkt. Ik zie me daar al staan, knalrood natuurlijk. Laten we eerst maar eens in folders kijken, voor we iets vragen. C2000 kan van alles zijn.' Hij stopte het laatste stukje van de hotdog in zijn mond en veegde met het papieren servetje de kruimels van zijn jack. Vanaf het bankje keek hij naar de drukte om zich heen. Een meisje met een klein tasje van een parfumwinkel wiebelde op veel te hoge hakken voorbij. Achter haar liep een man naar haar benen te kijken. Een moeder met een buggy trok een huilend kind achter zich aan. Een vrouw zeulde een zware tas met zich mee, waar een bos prei boven uitstak. Voetje voor voetje liep ze dicht langs de gevels. Voor een deur bleef ze staan, zette de tas neer, en pakte die met de andere hand weer op. Juist toen ze weer verder liep, ging de deur open. Er kwam een man naar buiten. De miezerman!

Max schrok zich dood. Hij trok zijn capuchon over zijn hoofd en dook in elkaar. Vanuit zijn ooghoek hield hij de miezerman in de smiezen. Het leek alsof die op iemand wachtte, hij keek telkens schuin omhoog over zijn schouder. Max draaide zijn hoofd een beetje bij. Er zat een trap achter de deur, zag hij.

'Wat is er?' vroeg Joris.

'Stil,' siste Max. 'Hij is aan de overkant, bij de open deur. Shit, hij kijkt deze kant uit.' Met een ruk draaide hij zich om.

'Bedoel je die man met die dunne staart?' mompelde Joris.

'Dat is hem.'

'Hij draait zich om, ik geloof dat hij tegen iemand praat die nog binnen is. Nou kijkt hij onze kant uit,' mompelde Joris.

'Hou hem in de gaten, onopvallend. Jou kent hij niet, mij wel.' Max boog zich diep voorover, alsof hij zijn veters ging strikken.

'Er komt iemand de trap af,' zei Joris zachtjes. 'Het gaat een beetje langzaam. Hij is er bijna. Ja, nou staat hij op straat. De deur gaat dicht. Wacht even, ik zie het niet goed meer, te veel mensen.'

Max gluurde over zijn schouder en zag dat Joris opstond, heel even maar, toen ging hij geschrokken weer zitten. 'Ze komen deze kant uit, niet kijken,' zei Joris.

Max drukte zijn hoofd tussen zijn knieën. Hij had het gevoel dat hij geen lucht meer kreeg.

'Ze lopen voorbij, ze kijken niet eens,' meldde Joris. Opeens begon hij aan Max zijn mouw te rukken. 'Moet je dat zien!'

Max kwam overeind. 'Waar?'

'Daar!' wees Joris.

Samen keken ze de miezerman na. Naast hem hobbelde een man, die zichtbaar moeilijk liep.

'De manke,' fluisterde Max.

Joris knikte. 'De manke.'

Max bleef ze nakijken, tot hij ze in de drukte uit het oog verloor. Toen stond hij op. 'Ga je mee?'

Met zijn handen in zijn zakken slenterde hij in de richting van de deur. Toen hij er langskwam keek hij even opzij. Boven de deur hing een bordje: Club 2000. Eerste etage.

Hij gaf Joris een por. Die zag het ook. Zwijgend liepen ze naar de fietsenstalling.

Pas toen ze het centrum uit reden begon Max te praten. 'Die kerel met die staart is een rotzak. Hij zat laatst achter me aan, toen ik van jou afkwam. Volgens mij weet hij van de agenda, hij vroeg erom. Ik weet je te vinden, zei hij.'

Joris vergat van schrik te trappen. 'Meen je dat nou? Man, dat is gevaarlijk.' Hij was even stil, je zag hem denken. 'Maar we hebben nou alles ontcijferd. Je hoeft die agenda alleen nog maar aan de politie te geven, ze kunnen zo die hele bende oprollen.'

'Ik weet het,' zuchtte Max.

Joris keek hem aan. 'Zullen we het samen doen? Ik ga wel mee, hoor. Wil je dat?'

'Ik wil eigenlijk nog maar één ding. Dat mijn vader zo flink is om de waarheid te vertellen. Dat hij afrekent met die bende, en ze er allemaal bijlapt. Daar hoop ik op, en daarom wil ik nog een paar dagen wachten voor ik de agenda naar de politie breng.'

'Wacht er niet te lang mee,' drong Joris aan. 'Die engerd loopt nog vrij rond, dat is gevaarlijk.'

'Een paar dagen nog,' beloofde Max. 'Ik kijk echt wel uit.'

Maandag vielen de laatste twee lessen uit en waren ze vanaf één uur vrij.

'Wat een mazzel,' riep Max, 'nou kunnen we extra lang repeteren.'

Het klonk steeds beter. Dat mocht ook wel, aan het eind

van de week was het kerstconcert. Fatima had het hele weekend teksten zitten leren, ze kende nu bijna alles vanbuiten. Rosa stond te blazen met haar ogen dicht en een kleur van inspanning op haar wangen. Lennart zat er ontspannen bij, je kon zien dat hij met plezier speelde. Alleen Joris ontbrak. Hij moest nou toch echt met zijn groep over de kerstversiering vergaderen.

Na twee intensieve uren oefenen gaf Max een laatste roffel op het drumstel. 'We stoppen ermee, morgen gaan we verder.'

Het was toch nog tegen vieren toen hij thuiskwam.

'Hoe ging de repetitie?' riep zijn moeder vanuit de kamer.

Hij zwaaide de deur open en stak met een brede grijns zijn duim op. Toen hij de deur weer wilde sluiten riep ze hem na: 'Ga je naar boven? Ik moet zo meteen even met Tinka naar de dokter, op controle voor haar oren.'

Hij knikte en liep naar zijn kamer. Mevrouw De Bonth was nog even komen luisteren en ze werd steeds enthousiaster. 'Ik heb er geen spijt van dat we de kerstbrunch vervangen door dit concert. Het klinkt geweldig,' had ze gezegd.

Max ging aan zijn bureau zitten. Het was ook geweldig, vooral het spelen op een echt drumstel. Hij had wel gezien hoe Rosa naar hem keek, telkens als hij zijn vliegensvlugge roffels liet horen. Hij pakte zijn stokken en gaf een roffel op het drumplankje. Een drumstel klonk toch stukken beter. Opa zou opkijken. Hij kwam samen met oma, mama had hem al gebeld.

'Max, ik ben weg,' hoorde hij mama onder aan de trap.

'Tot straks,' riep hij terug, en hij ritste zijn rugzak open. Toen ging zijn mobiel. Call, las hij. Hij aarzelde even, nam toen op. 'Met Max.'

Papa! Met verbazing stelde Max vast dat hij de laatste vier-entwintig uur niet meer aan zijn vader had gedacht, en ook niet aan die boevenbende.

'Max, luister, hang niet op. Het is echt belangrijk.'

Max hoorde de gejaagde stem. Van de stoere macho was niet veel meer over.

'Ik hang ook niet op,' zei hij, verbaasd over zijn kalmte. 'Er zit een man achter me aan.'

'Max, ik hou het kort. Luister.'

Max knikte. Hij luisterde, maar tegelijkertijd besefte hij dat zijn vader helemaal niet naar hem luisterde.

'Ben je er nog?' Zijn vader wachtte een tel en ging toen verder. 'In de schuur, onder de werkbank, staat mijn ge-reedschapskist. Dat weet je toch?'

'Ja,' zei Max.

'Onder in die kist ligt een metalen blikje, je weet wel, zo'n blikje met boren. Daar zit een klein boekje in, een agenda. Zwart met een gouden randje. Wil je dat pakken?'

Max was sprakeloos. Papa had hem in vertrouwen geno-men, misschien kwam het toch nog goed. Als papa mee-werkte met de politie...

'Verbrand dat boekje. Zorg dat niemand je ziet. Praat er niet over. Ook niet met mama, is dat duidelijk?'

'Begrepen,' zei Max. Opeens begreep hij nog veel meer. 'Zat je in de schuur verstopt?'

Hij kreeg geen antwoord. Papa had opgehangen.

Max zat stil aan zijn bureau en dacht na. Er kwam hele-maal niks goed. Zijn vader had hem alleen maar gebeld om een klus te klaren. Een vuile klus. Alle bewijsmateriaal moest verbrand worden. En dat er een man achter Max aan zat, daar reageerde hij niet eens op. Als zijn vader dacht dat dit de manier was om zijn problemen op te lossen, was het afgelopen. Wat een laffe streek. Wie was hier nou eigenlijk een loser?

Met een ruk draaide Max zijn stoel een slag, en zocht naar het fotootje dat ergens tussen de spullen op het bureau moest zijn verdwaald. Hij pakte het vast en keek ernaar. 'Je wordt bedankt,' zei hij en zijn stem trilde van woede. Met korte rukken scheurde hij de pasfoto in snippers, die dwarrelend in de prullenbak vielen.

Hij gooide zijn hoofd achterover en dacht aan de nacht van de inval. Zie je nou wel, hij had het toch goed gehoord. Dat gestommel in huis waar hij wakker van schrok, dat was papa geweest. Dat had het Observatie Team toch goed gezien. Maar toen het Arrestatie Team kwam, zat papa in het schuurtje verstopt. Misschien wel om de agenda te vernietigen, voor hij met zijn vriendin naar Rio vertrok.

Max stond op. Als zijn vader te laf was om een einde aan de problemen te maken, dan moest hij het maar doen. Hij liep naar het raam en keek naar buiten. Er was niemand te zien. Zijn ogen gleden door de winterse tuin, van het schuurtje tot de zinken bloembak onder zijn raam.

Hij draaide zich om en liep naar mama's kamer aan de voorkant. Ook daar keek hij door het raam. Overdag stonden er veel minder auto's in de straat dan 's avonds. De auto's die er stonden waren leeg, er zat niemand in. Er fietste een oude vrouw voorbij, met een boodschappentas aan haar stuur. Verder was er niemand te zien.

Hij liep de trap af. Zijn knieën knikten. Zijn handen trilden toen hij de sleutelbos pakte. Hij rende de tuin in, schoof de grendel op de poort en ging de schuur binnen. Voor de zekerheid draaide hij de schuurdeur achter zich op slot. Nou zat hij opgesloten. Maar er kon ook niemand binnen. Hij maakte geen licht. In het schemer van het schuurtje bukte hij bij de werkbank. Het scharnier van de gereedschapskist piepte toen hij de klep optilde. Hij wachtte even en slikte. Zijn handen trilden nog steeds toen hij het blikje van de boren openmaakte. Snel greep hij de agenda en stond op.

Bij de schuurdeur bleef hij staan luisteren. Alles was stil. Hij draaide de sleutel om, smeet de deur achter zich dicht en rende de keuken in. Hijgend draaide hij de keukendeur op slot. Hij had haast. Die agenda moest naar het politiebureau, hoe eerder hoe beter. Wat was de naam van die agent ook alweer? Het kaartje stond in de kamer, op de schoorsteen.

Juist toen hij het pakte hoorde hij wat. Er werd op de poort gebonkt. Hij stond stokstijf van angst, heel even maar. Snel toetste hij het nummer dat op het kaartje stond. Er werd meteen opgenomen.

'Ik heb iets gevonden, het is belangrijk. Kom alsjeblieft snel, ze proberen binnen te dringen!'

Hij drukte zich plat tegen de muur, zodat hij onzichtbaar was van buitenaf, maar nog net de poort kon zien. Het bonken was gestopt. Nu stak er een hand boven de poort uit. Een hand in een zwarte handschoen, die naar de grendel zocht.

Max slikte. Hij kneep zijn ogen dicht. O, god, dacht hij, waar blijft die politie nou? Ik sta hier al een eeuwigheid.

Toen hij weer keek zag hij dat de hand de grendel had gevonden. Hij sperde zijn ogen open, zag alleen nog die zwarte handschoen en een stukje blote arm. Hij drukte zijn nagels in de agenda. Hier kon hij niet blijven staan. Zo meteen kwamen ze de tuin in, dan zouden ze hem zien. Dicht tegen de muur gedrukt glipte hij de kamer uit. Waar moest hij heen? De voordeur uit? Wie weet stonden ze hem daar op te wachten. Hij glipte de trap op. Nee, niet naar boven. Hij moest bij de voordeur blijven. Meteen opendoen als de politie kwam. Op de derde tree zakte hij neer. Zo zagen ze hem niet. En hij kon altijd nog naar boven als er iets was. Desnoods ging hij op het dak zitten, maar hij liet zich niet pakken.

Hij hield zijn hoofd schuin om te luisteren. Als zijn hart nou niet zo'n kabaal maakte... Wat was dat? Hij schoof naar het puntje van de tree. Was dat het slot van de keukendeur? Ja! De brutaliteit, ze hadden nog een sleutel ook. Hij hoorde de deur piepen. Met een noodgang racete hij de trap op. Er klonken voetstappen in huis.

'Max!' riep mama. 'Waarom heb je de grendel op de poort gedaan? Is er iets?'

Op dat moment ging de bel. 'Goedemiddag mevrouw, u hebt ons gebeld?'

Langzaam liep Max de trap af. Tranen rolden over zijn wangen, maar dat kon hem niks schelen. Je was echt geen loser als je een keer een potje jankte. Hij stak zijn hand uit naar de agent en reikte de agenda aan. Zijn nagels stonden diep in het leer gedrukt.

Max begreep er niks van. Hij had de agenda aan de politie gegeven en alles uitgelegd. De scheepsnamen, het station, het adres van Club 2000. Voor de zekerheid had hij ook nog maar het adres van de witte deur met het kijkgat gegeven, samen met een uitgebreide beschrijving van de miezerman. Hij wist zijn naam niet en wilde er zeker van zijn dat de miezerman ook werd opgepakt.

De politie was verbaasd geweest over zijn speurwerk, en zijn moeder was bijna flauwgevallen van schrik.

Dat was maandag geweest. En intussen was het al donderdag, maar hij had er nooit meer wat van gehoord. Elke morgen bladerde hij door de krant, die ze gelukkig nog hadden. Zijn moeder had het abonnement wel opgezegd, maar dat ging pas volgende maand in. Het gekke was dat die miezerman nergens meer opdook, terwijl hij toch echt goed oplette.

Hij begreep het niet. Hij had de codes ontcijferd, en de kentekens en 06-nummers stonden in de agenda. Duidelijker kon het niet.

Juist toen hij dacht dat hij nooit meer wat zou horen, belde de agent dat hij langskwam, omdat hij nieuws had. Wat Max hoopte was gebeurd, de hele bende was opgerold, inclusief de miezerman. Dat laatste vroeg hij met nadruk.

Het had wat tijd gekost, vertelde de agent. Ze hadden de mobiele telefoons gelokaliseerd en bij de arrestaties de steun nodig gehad van andere politiekorpsen. Maar vandaag waren de laatste aanhoudingen verricht. De hele bende was opgepakt.

'Dankzij jou.' De agent knikte naar Max. Toen hij afscheid nam kneep hij Max stevig in de hand. 'Morgen verschijnt er een stukje in de krant, maar daarin zul je niets over de agenda lezen. Dat houden we liever voor ons. Enne… mocht je ooit nog eens iets verdachts vinden, ga er dan niet zelf achteraan. Die mannen zijn bepaald geen lieverdjes.'

Zodra de agent weg was belde hij Joris. 'Ze hebben ze. Morgen staat het in de krant.'

Toen Max de volgende dag uit zijn bed kwam, zat zijn moeder al aan tafel met de krant voor zich.

'En? Staat er iets in?'

'Kijk maar.' Ze schoof de krant naar hem toe en hij begon te lezen.

Op diverse plaatsen in het land heeft de politie invallen gedaan.
Daarbij werden grote partijen drugs in beslag genomen. De
straatwaarde hiervan loopt in de miljoenen. Er zijn meerdere
aanhoudingen verricht. Hieronder bevinden zich de
vermoedelijke topfiguren van een omvangrijk drugsnetwerk. Bij
de aangehouden personen zijn meerdere wapens in beslag
genomen. Volgens een woordvoerder van justitie was deze
succesvolle actie een gevolg van maandenlang recherchewerk. De
eerder aangehouden verdachte in deze zaak weigerde een
verklaring af te leggen, waarschijnlijk uit angst voor represailles.

Een goed artikel, vond Max. Vooral die laatste regels. Nu konden de zware jongens zelf in de krant lezen dat zijn vader hen niet verraden had. Dat de recherche maanden gewerkt had om hen op te sporen. Geen represailles, dus geen liquidatie.

Max schoof de krant van zich af. Volgens de politie was de hele bende gearresteerd. Daar hadden ze dus geen last meer van. Eindelijk konden ze een nieuw leven beginnen. Een leven zonder geweld, zonder angst. En zonder papa.

Hij stond op om een mok te pakken en schonk thee in. 'Wil jij nog?'

Mama knikte, toen staarde ze naar de krant. 'Het is ongelooflijk. Als je zoiets leest gaat dat altijd over anderen, mensen die je niet kent. Ik kan me nauwelijks voorstellen dat ons dit overkomt.'

Max blies in zijn thee. 'Alsof het niet echt gebeurd is, dat gevoel heb ik steeds. Maar als ik het gezicht van die miezerman voor me zie, dan weet ik meteen weer dat het wel waar is.'

Mama rilde. 'Wat was dat een engerd. Ik snap nog niet dat jij daar zo flink onder bleef.'

'Ik flink? Papa vond me een loser.'

'Hij zou trots op je moeten zijn. Er is hier maar één loser, en dat is papa zelf. Hij is alles kwijt, alles.' Mama zei het met rustige stem, toch klonk het vastbesloten.

Max dwaalde met zijn gedachten naar oma De Boer. Zij had geen zoon op wie ze trots kon zijn, zielig eigenlijk. Misschien gaf ze daarom wel de schuld aan mama.

Hij schrok op toen mama zijn hand vastpakte. 'Het is met jou gelukkig goed afgelopen, maar je had het niet voor jezelf moeten houden. Dus geen geheimen meer, beloof je dat?'

Hij dacht aan Rosa. Gisteren na de laatste repetitie had hij met haar gezoend. 'Ook geen kleine geheimpjes?' plaagde hij.

Mama kneep in zijn hand. 'Je weet best wat ik bedoel.'

Hij sprong op, pakte zijn trommelstokken en dook in zijn jas. 'Ik ga vast naar school.'

'Moet je niet wat eten?'

Hij schudde zijn hoofd. 'Straks, er zijn hapjes op school.' Hij had het gevoel dat hij nou geen hap door zijn keel kon krijgen. Straks was het allereerste optreden van Starshine, de première. Zou hij soms last hebben van plankenkoorts?

Toen de laatste klanken wegebden, steeg er een enthousiast applaus op uit de zaal. Max veegde met zijn mouw het zweet van zijn voorhoofd en keek naar Rosa, Fatima en Lennart, die buigend het applaus in ontvangst namen. Rosa draaide zich om en wenkte hem. Hij kroop achter het drumstel vandaan en liep naar de rand van het podium. In de coulissen zag hij Joris die zijn duim opstak. Met zijn vieren bogen ze voor het publiek. Toen Max overeind kwam, knipperde hij met zijn ogen tegen het felle licht van de schijnwerpers. Toch zag hij dat opa Trom als eerste ging staan en op de vingers floot. 'Bis!' hoorde Max hem roepen. En opeens stond iedereen te klappen en te roepen.

'Zullen we nog een laatste nummer spelen?' vroeg Lennart.

Max kroop weer achter het drumstel, het applaus verstomde. Toen begon hij met een daverende roffel. Rosa en Lennart vielen in en Fatima hield haar microfoon klaar. Max vergat het publiek en leefde zich helemaal uit op het drumstel.

Het applaus na afloop was oorverdovend, de zaal werd pas rustig toen het doek viel en de hapjes en drankjes tevoorschijn kwamen. Achter het zware pluchen gordijn vielen de leden van Starshine elkaar om de hals. Joris deelde schouderklopjes uit.

'Wat een applaus,' zei Fatima verbaasd.

Lennart keek de kring rond. 'We hebben het geflikt!'

Rosa lachte. 'We waren goed!'

'Ik ben uitgedroogd, wie gaat ermee wat drinken?' vroeg Max. Hij liep voorop, het smalle trapje naast het toneel af en opende de deur naar de zaal. Daar stond zijn moeder glunderend te wachten. En Tinka vroeg: 'Ben je nou beroemd?'

'Nog niet,' zei Max lachend, 'maar wie weet…'

Lisa kwam langs met een dienblad vol drankjes. Max nam een glas fris, dronk het in één keer leeg en ging naast opa staan. 'Hoe vond je het?'

'Fantastisch,' zei opa. 'Het zou me niet verbazen als jullie net zo goed worden als de Fireballs. Ik denk dat we op internet maar eens moeten zoeken naar een goed, tweedehands drumstel.'

'Meen je dat?'

'Zeker weten,' zei opa.

135

Max keek om zich heen naar de vrolijke gezichten van mama en Tinka, opa en oma, Joris en Rosa...

Zijn dag kon niet meer stuk.

LEES OOK VAN HETTY VAN AAR:

Poen!

Kamiel weet zéker dat hij nog geen krasje op Boy's scooter heeft gemaakt nadat hij ermee onderuit was gegaan op het gras. Maar een paar dagen later krijgt hij de rekening gepresenteerd: 800 euro schade zou hij veroorzaakt hebben. Tegen zijn ouders durft hij niks te zeggen, want dan komen ze erachter dat hij op die scooter heeft gereden. Ondertussen wordt Kamiel zwaar geïntimideerd door Boy en twee 'getuigen' van de valpartij. Ze voeren de druk op... Wat moet hij doen?

ISBN 90 216 1887 7